効果がみえる
中枢神経疾患の再構築アプローチ

タナベセラピー

●著者●
田邉浩文

THE APPROACH OF REORGANIZATION OF
THE HUMAN CENTRAL NERVOUS SYSTEM

HUMAN PRESS

The approach of reorganization of the human central nervous system
(ISBN 978-4-908933-02-8　C3047)

by Hirofumi Tanabe

2016. 9. 10　1st ed

ⒸHuman Press, 2016
Printed and Bound in Japan

Human Press, Inc.
3-32-6 Hongo, Bunkyo-ku, Tokyo, 113-0033, Japan
E-mail：info@human-press.jp

序

　脳卒中などによりダメージを受けた脳は，数カ月後にある程度の回復がみられる．発症から数年経過しても麻痺肢を一定期間，集中して使用することにより脳内に可塑的変化が起こり身体諸機能の回復が期待できる報告がある．ただし，その回復の程度は麻痺肢の使用頻度と内容に影響を受ける．例えば，脳損傷後の片麻痺者が機械的な単純動作を一日かけて数万回繰り返したとしても，脳の可塑的な変化は起こらない．しかし，実生活場面での有意味課題において麻痺肢を用いて繰り返すと，脳は可塑的な変化を及ぼし諸機能が回復することがある．筆者がこれまでに担当した片麻痺者においても，機能回復に有意味課題の実践が決め手になっていた．例えば，入院中に病院の訓練室でブロック移動やサンディング訓練を長時間にわたり懸命に繰り返しても諸機能の回復はほとんどみられなかった．しかし，退院して自宅で麻痺肢を積極的に使い，洗濯物の取り入れ，掃除，料理など，さまざまな活動について麻痺肢を活用して実践した片麻痺者にかぎり顕著な機能回復がみられていた．

　この実生活場面での麻痺肢の多用により機能回復を図る治療法こそ，筆者が約15年間実践してきたCIセラピーである．CIセラピーは，脳卒中など中枢神経疾患後の片麻痺者に対して約2週間，麻痺肢（麻痺側上肢，麻痺手，麻痺側下肢）を実生活場面において集中して使用するように促し，その使用を生活へと汎化するように導くエビデンスに基づいた治療法である．

　筆者は，CIセラピーの実践を通じて片麻痺者のリハビリテーション治療には，実生活場面において麻痺肢を積極的に使用し，習慣化させることを目的に行うべきであることを学んだ．片麻痺者の場合，主に面接法を用いて，生活場面で麻痺肢を多用するように促すトップダウン・アプローチのみでは，実生活において麻痺肢を積極的に使い活動することは困難であり，セラピストが徒手的な治療等を行うことにより身体機能を改善させるボトムアップ・アプローチとトップダウン・アプローチを組み合わせた介入が中枢神経疾患のリハビリテーションには最も有効な方法である．国際的にみても主流なリハビリテーションの手段となってきていると，筆者は感じているのである．CIセラピーは，米国文化に対応させた既存する各種治療法のパッケージであるため，わが国の診療報酬制度下での実践は困難である場合が多い．

　そこでタナベセラピーは，わが国の診療報酬制度においても十分成果が期待できるように，筆者独自が開発した徒手的アプローチと既存する行動変容アプローチをパッケージしたまったく新しい治療法である．特に，ボトムアップ・アプ

ローチは短時間に効果が現れるように開発したので1日40分（2単位）の診療時間でも対応できるはずである．本書をとおして理学療法士ならびに作業療法士をはじめ，多くの片麻痺者とその家族などにも実践していただければ望外なる喜びである．

2016年8月吉日

田邉浩文

目 次

効果がみえる中枢神経疾患の再構築アプローチ
タナベセラピー

第Ⅰ章

中枢神経疾患の再構築アプローチの理論 ―タナベセラピー

第1節 生活動作が脳を変化させる
1. 脳の可塑性 …………………………………………………………………… 2
2. CIセラピーとは …………………………………………………………… 4
3. CIセラピーの実際（事例） ……………………………………………… 5
4. 生活動作は皮質構築を及ぼす有効な治療法 …………………………… 8

第2節 中枢神経疾患に対する効果的な再構築アプローチ
1. 中枢神経疾患に対する理想的なリハビリテーション ……………… 12
2. ボトムアップおよびトップダウン・アプローチ …………………… 13
3. 片麻痺者のリハビリテーションにおけるボトムアップ・アプローチと
トップダウン・アプローチ ……………………………………………… 13

第3節 タナベセラピーで実践する行動変容アプローチ
1. 新たな行動を受け入れ実行に移すための条件 ……………………… 16
2. 新たな行動を採用して現在の行動を変容させるための介入方法 … 20
3. タナベセラピーの行動変容ステージ ………………………………… 22

第Ⅱ章
タナベセラピーのプログラムとは

第1節 タナベセラピーのプログラム概要
1. 上肢および下肢のプログラム ………………………………………… 26
2. 1日における介入時間とその期間 …………………………………… 26

第2節 タナベセラピーのプログラム手順
1. タナベセラピーのプロトコル ………………………………………… 30
2. 介入前の面接 …………………………………………………………… 30
3. プログラムの実施 ……………………………………………………… 35
4. 介入後のモニタリング ………………………………………………… 42

第Ⅲ章

タナベセラピーの実際①
—上肢ボトムアップ・アプローチ

第1節 上肢ボトムアップ・アプローチとは
- **1** 上肢ボトムアップ・アプローチ … 46
- **2** 上肢ボトムアップ・アプローチの実際 … 46
- **3** 上肢ボトムアップ・アプローチのシート記入例 … 55

第2節 上肢ボトムアップ・アプローチを行うための徒手的テクニック
- **1** 上肢ボトムアップ・アプローチのための体幹に対する徒手的テクニック … 57
- **2** 上肢ボトムアップ・アプローチにおける徒手的テクニックの実際 … 63

第Ⅳ章
タナベセラピーの実際②
—下肢ボトムアップ・アプローチ

第1節 下肢ボトムアップ・アプローチとは
- **1** 下肢ボトムアップ・アプローチ … 100
- **2** 各種運動機能レベルに対する下肢ボトムアップ・アプローチの設定 … 101

第2節 下肢ボトムアップ・アプローチを行うための徒手的テクニック
- **1** 片麻痺者の歩行特性 … 103
- **2** 片麻痺者特有の歩行が生み出す軟部組織の短縮 … 103
- **3** 片麻痺者における歩行改善の徒手的テクニック … 105

付録 タナベ・スパイダースプリントの紹介 … 129

第Ⅰ章
中枢神経疾患の再構築アプローチの理論
—タナベセラピー

第 1 節

生活動作が脳を変化させる

1 脳の可塑性

　大脳皮質の可塑的変化に関する研究は，1984 年の Merzenich ら[1]の実験を皮切りに発展した．Merzenich ら[1]は，サルの第 3 指を切断した 7 カ月後には大脳皮質一次感覚野の第 3 指領域が，隣接する指の領域に置き換わることを突き止めた（図 1）．Nudo ら[2]は，高頻度のトレーニングを行うことにより課題スキルが向上するとともに，大脳皮質の指領域が拡大することを明らかにした（図 2）．

　この使用に依存した皮質領域の拡大として知られているのがフォーカル・ジストニア（focal dystonia）である[3,4]．この疾患は，ピアニストなどの手指を高頻度に多用する専門家に発症する．フォーカル・ジストニアは，長年の指の酷使が大脳皮質の指領域を肥大させ隣接する指領域が重なり，ある指を動かすと自動的に隣の指までもが一緒に動いてしまう現象を引き起こす．しかし，この可塑的変化は単純に指を多用すれば起こるものではなく，難易度の高い課題ができるように練習を重ねる過程として多用しなければ起こらないのである[4]．

　このことを証明する実験が Plautz ら[5]によって行われており，簡単な手指課題を反復して行ったサルは一次運動野の可塑的変化がみられず，巧緻動作トレーニングを反復して行ったサルのみに変化がみられた．

　これらの研究成果から，中枢神経疾患（以下，脳卒中）などの可塑的変化について更なる研

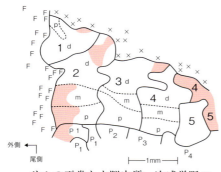
a. サルの正常な大脳皮質一次感覚野の指領域

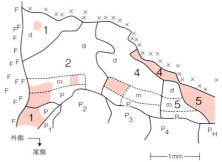
b. 第 3 指を切断した 62 日後の大脳皮質一次感覚野の指領域

図 1　Merzenich らの実験（文献 1）より引用）
第 3 指領域が隣接する指の領域に置き換わった

究が進んだ．例えば，脳卒中後に脳は新しい局在部位と神経ネットワークを再構築して機能の回復がみられることが動物実験により明らかにされた[6]．さらに，ヒトにおいても脳卒中患者に科学的な根拠に基づいたトレーニングを集中して行うと，神経ネットワークを再構築して機能回復を図ることができることも明らかとなった[7]．脳卒中後の機能局在部位の再構築に関する研究については，ダメージを受けた一次運動野の局在部位が，たとえ頻度の低いリハビリテーションの実践においても体性感覚野や運動前野および補足運動野に再構築されることも明らかにされた[8]．また，一次運動野レベルでは対側支配が主体であるが，運動前野や補足運動野は両側性に運動野を介さずに脊髄への信号を送ることも解明されており，脳卒中後の重度片麻痺者が集中した高頻度のトレーニングを受けて回復した脳では，麻痺側と同側の運動前野や補足運動野に新たな局在部位の再構築が確認されている．このように大脳皮質の再構築部位は，脳損傷の部位や大きさに依存し，両側脳，障害脳，同側脳と症例によって異なることも報告されている[9]．

脳卒中後の機能回復のためのトレーニングを開始した当初は，大脳皮質全体にまんべんなく脳血流量が増えるが，手指麻痺の機能回復が進むに従い同じ運動を行うと，特定の血流増加部位で限局して神経ネットワークの再構築が形成される報告がある[9,10]．CIセラピー（Constraint-Induced Movement Therapy）を開発した米国アラバマ大学CIMTリサーチグループは，1週間の短期間CIセラピーではいったん獲得した機能回復は定着せず，その後に機能低下がみられるが，2週間の完全なCIセラピーではいったん獲得した機能は維持されやすいと述べている[11]．このことから皮質再構築は2週間以上の期間を要するのではないかと筆者は考えている．

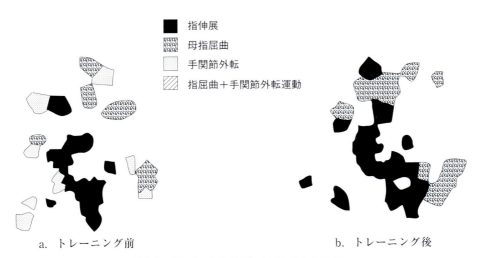

図2　Nudoらの実験（文献2）より引用）
高頻度のトレーニング後に課題スキルが向上するとともに指領域が拡大した

2 CIセラピーとは

　CIセラピーは，脳卒中や頭部外傷による片麻痺者に対して2〜3週間のあいだ非麻痺側上肢を拘束して麻痺側上肢を集中的，かつ積極的に使用させて麻痺側上肢の機能回復を図るリハビリテーション手技の一つであり，その理論は1980年に行われたサルによる動物実験により築かれた（図3）[12]．1999年には，上肢運動をつかさどる大脳皮質局在部位以外の領域に新たな皮質活性領域がみられるなど，大脳皮質の再構築がCIセラピー後に生じることが報告されている[13,14]．CIセラピーは，課題指向型練習[15]と各種の行動変容アプローチ技法を用いて，片麻痺者が生活する場において意味のある作業を麻痺肢の使用により繰り返し習慣化する治療法である．医療施設においてセラピストが行うことは，獲得を目指す生活動作に必要となる運動要素を課題練習というボトムアップ・アプローチ（機能回復，応用的動作能力などに対するアプローチ）の実践により回復させること，そして片麻痺者が麻痺肢で実践したことを面接によりモニタリングすることである．ただし，CIセラピーの大半は医療施設外の実生活場面で行わ

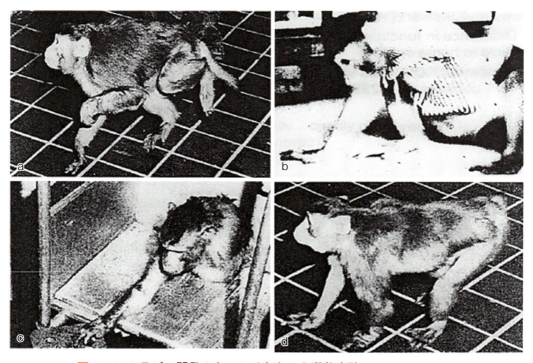

図3　CIセラピー開発のきっかけとなった動物実験（文献12）より引用）
　a：健常なサルの右前肢求心路を遮断して右前肢麻痺を作為
　b：健側の左前肢を拘束したが右前肢をまったく使おうとしなかった（学習性不使用）
　c：ボックス内にサルを入れて左前肢を拘束し右前肢のみを自由にした．パネル板の小物をつまみとれるとご褒美に餌を与える課題練習を行うと右前肢の機能がしだいに回復した．しかし，実生活ではいまだ右前肢を使おうとしなかった
　d：生活の中で右前肢を使わざるをえない環境を多数設定した結果，右前肢を生活の中で使うことが習慣化した

第Ⅰ章　中枢神経疾患の再構築アプローチの理論―タナベセラピー

れるように導く必要がある．それは意味のある動作が脳の可塑的変化を誘発する可能性を秘めているからである．しかし，筆者が担当した CI セラピー参加の片麻痺者の中には，定められたプロトコルに従わず，徒手的なボトムアップ・アプローチこそが機能回復に最も有効だと考える人も少なくはない．そのような片麻痺者は，麻痺手で行う生活動作に消極的となり，パフォーマンスの顕著な改善はみられないことが多かった．そのような片麻痺者に対して筆者は，いったん CI セラピーのプログラムを中断して，面接技法のみを用いて実生活場面で麻痺手の使用を促す介入に変えた．そして，意味のある作業が機能改善に功を奏するということについて，身をもって体験した後に再び CI セラピーのプログラムに戻した．

3 CI セラピーの実際（事例）

1.　症例①

　2014 年に CI セラピーのプログラムに参加した M 氏（60 代，女性）は，徒手的治療に固執するケースの一人であった．右片麻痺を呈する M 氏の手指は，母指対立不能のためゴルフボールのつかみ離しはできなかったが，鷲づかみによりハンカチをつかみ離すことはできた（CI セラピーの適応グレードⅣに該当；**表 1**)[12]．そして，CI セラピーのプログラム 4 日目に「家に帰って麻痺した手を使用していろいろな動作を練習しても意味がないと思う．それより午後も徒手的な治療してほしい」と訴えてきた．M 氏に対して筆者は，CI セラピーのプログラムを中断して「徒手的な治療はやめて 2 週間，自宅でいろいろな生活動作について麻痺手を使用してできるようになればプログラムを再開しましょう」と告げた．M 氏は，当初は仕方なく面接技法のみによる介入に従っていたが，しだいに麻痺側上肢の機能が改善することを実感するようになった．その結果，プログラム中断時には簡易上肢機能検査（STEF：Simple Test for

表 1　CI セラピーの適応基準グレード（active ROM）（文献 12) より引用）

グレード	つかみ離し能力	肩関節	肘関節	肘関節	指	母指
1 2*	テニスボール	屈曲≧45，外転≧45°	伸展≧20° （屈曲 90° から開始）	伸展≧20°	すべての MP，IP の伸展≧10°	伸展または外転≧10°
3	ゴルフボール			伸展≧10°	MP，IP の少なくとも 2 本の伸展≧10°	
4	ハンカチ				少なくとも 2 本の伸展＞0° または＜10	
5	いかなる物品も不可能	屈曲≧30°外転または肩甲骨面挙上≧45°	屈曲と伸展の運動開始**	手関節の伸展運動開始またはいずれかの手指伸展運動の開始**		いずれかの手指伸展運動の開始**

　注意：各運動は 1 分間に 3 回繰り返すことを条件とする
　*病前に比して麻痺手の使用が 50% 以上の場合をグレード 1 とし、50% 未満をグレード 2 とする
　**運動の開始とはゴニオメータで確実に測定できる角度の運動を表す．なお、開始角度は問わない

第1節　生活動作が脳を変化させる

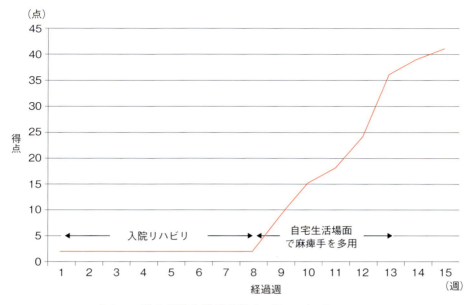

表2　T氏の簡易上肢機能検査（STEF）のスコアー

Evaluating Hand Function）が得点圏内に至らなかったが，5点の得点が得られるまでに改善していた．M氏はその後，再びプロトコルに従ったCIセラピーのプログラムを再開し，終了時にはSTEFが54点にまで改善された（表2，図4〜6）．

2. 症例②

2010年，脳出血発症右片麻痺のS氏（30代，男性）は，2年間外来においてサンディングなどの作業療法を行っていた．2012年にCIセラピーが処方されて筆者が担当することとなった．弛緩性の麻痺を呈するS氏の手指は，テニスボールのつかみ離しができるほどの全指伸展はできなかったが，母指と示指のみの使用で，ようやくゴルフボールのつかみ離しができていた（CIセラピーの適応グレードⅢに該当）．しかし，上肢はほとんど挙上できないほど筋緊張は低下しており（図7a），ブロックなどの物品操作ができるもののリーチができず，実用的な使用には至らなかった．極度な低緊張を呈する片麻痺者の場合，わずか2週間の集中治療では実用的な麻痺側上肢の使用に必要な筋緊張を得ることは困難と判断し，変法CIセラピーを行った．プログラムの内容は，まず2週間のボトムアップ・アプローチのみを行い，上肢の挙上を可能にした後に自宅にて2カ月間，メールや電話を活用したモニタリングを行いながら，実生活での麻痺手の使用を促すトップダウン・アプローチを行った．ボトムアップ・アプローチの結果，机上での物品移動ができるようになったが（図7b），かなり努力して行われており，このまま介入を終えれば，麻痺手は生活動作の中で使われることはないと感じられる程度の回復レベルであった．しかし，トップダウン・アプローチを終えた2カ月後にS氏を外来で評価すると，上肢は容易に挙上できるように変化しており，生活上のさまざまな動作において両手や麻痺手の使用によって行われるよう習慣づいていた（図7c）．このようにCIセラピーでは，

第Ⅰ章　中枢神経疾患の再構築アプローチの理論―タナベセラピー

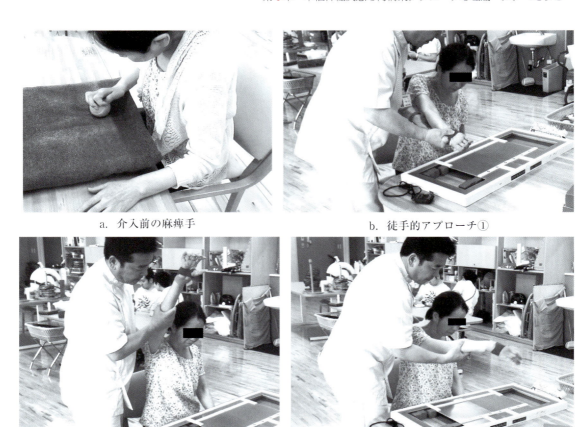

a. 介入前の麻痺手　　　　　　　　　　b. 徒手的アプローチ①

c. 徒手的アプローチ②　　　　　　　　d. 徒手的アプローチ③

図4　セラピストの徒手的治療に依存していた

図5　自宅で麻痺手を積極的に使用

7

第1節　生活動作が脳を変化させる

a．手指の伸展の改善　　　　　　　b．ボールの握把が可能になった

図6　生活での麻痺手使用により明らかな機能回復がみられた

a．治療前（弛緩麻痺）　　b．努力性に物品移動が可能　　c．実生活課題練習後の機能回復

図7　自宅での課題実践により著明な機能回復をみたS氏

麻痺手の未使用学習を克服し，最終的には実生活場面での麻痺手の使用を習慣化するように導くセラピーなのである．

生活動作は皮質再構築を及ぼす有効な治療法

　意味のある生活動作が脳を賦活させる報告に従い[11]，筆者は生活動作の違いによる脳の賦活量の違いを近赤外分光分析法（fNIRS：functional Near-Infrared Spectroscopy）を用いて調査した．調査では，意味を有しない単純な課題としてサンディングを有意味課題として，汚

8

第Ⅰ章　中枢神経疾患の再構築アプローチの理論—タナベセラピー

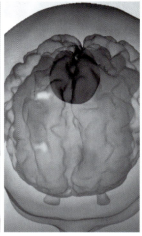

a．サンディング課題

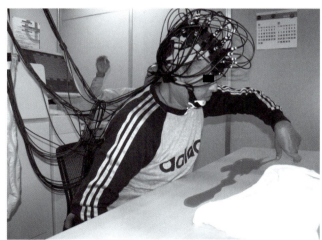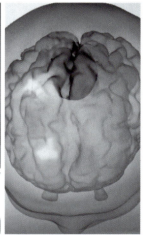

b．こぼれたコーヒーをタオルで拭きとる課題

図8　単純課題中と有意味課題中のfNIRS皮質活性領域の違い
白いほど酸化ヘモグロビン密度が高いことを現わす

れた台を雑巾で拭きとる課題についていずれも運動の軌跡が同様になるように設定して行わせ，大脳皮質の酸化ヘモグロビン密度を調べた（図8）．その結果，意味のある動作中では常に一次運動野とその周囲に酸化ヘモグロビンの高密度領域が確認された．

　単純に繰り返す動作と比べて意味のある動作は，文脈課題をいかに遂行するかを自ら企画し実行しながら期待される成果が得られるように，常に運動を修正しながら行われるため相当な脳の活性化を伴うことが想像できる．筆者は，長年のCIセラピー実践体験を通じて脳卒中後に麻痺肢の顕著な回復を図るためには，生活での意味のある動作を麻痺肢の使用により反復して行わせること，そしてその動作の遂行を可能にするために必要となる運動要素を課題指向型アプローチにより獲得させることが重要となると考えている．また，片麻痺上肢機能訓練では単純な机上課題練習を繰り返しても顕著な上肢機能の改善はみられないが，片麻痺者が再獲得したい生活動作を指向して集中練習を行う時に顕著な改善がみられる体験を多数みてきた．

9

第 1 節　生活動作が脳を変化させる

　セラピストが直接介入した時の機能改善は，一時的なものであり，その後，麻痺手を使わなければ翌日ですら効果は持続しない．リハビリテーション室で改善した上肢機能は，そのまま実生活場面での課題動作において繰り返し使用することで回復効果が持続しやすいのである．おそらくこの飛躍した機能改善の現れが常態化した時に，脳の再構築が完成しているのであろう．

　ボトムアップ・アプローチについては，CI セラピーで行われている課題指向型アプローチによる机上課題作業が有効である．Levin[16]は，可塑的変化をきたす課題指向型アプローチの条件として，①反復した練習，②目標動作を指向した課題練習，③集中練習，④新規かつ挑戦的な課題を掲げており，これらの条件を満たす課題指向型アプローチは CI セラピーのプロトコルの一つになっている．CI セラピーによる課題の設定は，具体的に達成したい動作に必要な運動要素に焦点を絞り，その運動要素を高めるための挑戦的，かつ適度な難易度のある課題を設定する．課題は，反復して行えるように設定にして遂行時間を課題練習ごとに計測し，その遂行時間をしだいに速くするように促していく．CI セラピーのプログラム参加の片麻痺者は，まるで競技会の選手のようにタイムを競いながら運動スキルを高めていくのである．

📋 *Clinical Hint*

どんな課題を行ったら脳は賦活化されるか？

　筆者が fNIRS で確認した際，競って行う課題や，どのように行うかを常に考えながら達成させていく課題を実行している時に，脳は賦活化された．布巾で机上を拭いたり，ボールをただ単に移動させるだけといった，あまり考えなくてもよい課題の実行中は，脳は賦活化されないようである．したがって，機械的な課題では脳は賦活化されず，目的をもって行う課題で脳は賦活される．

文 献

1) Merzenich MM, et al：Somatosensory cortical map changes following digit amputation in adult monkys. *J Comp Neurol* **224**：591-605, 1984

2) Nudo RJ, et al：Use-dependent alternations of movement representations in primary motor cortex of adult squirrel monkys. *J Neurosci* **16**：785-807, 1996

3) Candia V, et al：Sensory motor retuning a behavioral treatment for focal hand dystonia of pianists and guitarists. *Arch Phys Med Rehab* **83**：1342-1348, 2002

4) Bara-Jimenez W, et al：Abnormal somatosensory homunculus in dystonia of the hand. *Ann Neurol* **44**：828-831, 1998

5) Plautz EJ, et al：Effects of repetitive motor training on movement representations in adult squirrel monkeys：role of use versus learning. *Neurobiol Learn Mem* **74**：27-55, 2000

6) Dancause N：Vicarious function of remote cortex following stroke：Recent evidence from humanand animal studies. *Neuroscientist* **12**：489-499, 2006

7) Hummel FC, et al：Drivers of brain plasticity. *Curr Opin Neurol* **18**：667-674, 2005

8) Ward NS, et al：Neural correlates of motor recovery after stroke：A longitudinal fMRI study. *Brain* **126**：2476-2496, 2003

9）Calautti C, et al：Functional neuroimaging studies of motor recovery after stroke in adults：A review. *Stroke* **34**：1553-1566, 2003

10）Askim T, et al：Motor network changes associated with successful motor skill relearning after acute ischemic stroke：A longitudinal functional magnetic resonance imaging study. *Neurorehabil Neural Repair* **23**：295-304, 2009

11）Morris DM, et al：Constraint-induced movement therapy：characterizing the intervention protocol. *Eura Medicophys* **42**：257-268, 2006

12）CI Therapy Training Course：Constraint-Induced（CI）Therapy Training Program for Health Professionals：Adult Applications for Upper. 2011

13）Wittenberg GF, et al：ConstraintInduced Therapy ln Stroke：Magnetic Stimulation Motor Maps and Cerebral Activation. *Neurorehabil Neural Repair* **17**：48-57, 2003

14）Cao Y, et al：Pilot Study of Functional MRI to Assess Cerebral Activation of Motor Function After Poststroke Hemiparesis. *Stroke* **29**：112-122, 1998

15）Taub E：Somatosensory deafferentation research with monkeys. Implications for rehabilitation medicine. Incee LP, et al（eds）：Behavioral psychology in rehabilitation medicine：clinical applications. Williams & Wilkins, Baltimore, 1980, pp 371-401

16）Levin MF, et al：What do motor "recovery" and "compensation" mean in patients following stroke? Neurorehabil Neural Repair 23：313-319, 2009

第2節

中枢神経疾患に対する効果的な再構築アプローチ

1 中枢神経疾患に対する理想的なリハビリテーション

　中枢神経疾患（以下，片麻痺）の急性期から回復期でのリハビリテーションは，片麻痺者が家庭復帰や復職を果たすことを目標に掲げプログラムを進めていく．発症当初は，さまざまな動作において介助が必要である．まずは，身体・認知・心理といった諸機能を回復させ，さまざまな生活動作を自立させていく．さらに，自宅での実生活場面を想定した環境での練習を繰り返し，最終的には実際の生活場面において動作を繰り返し行い目標動作を獲得させる．

　この機能回復，応用的動作能力，反復される生活動作の実践というリハビリテーションの手順を踏むのがボトムアップ・アプローチである．一方，残存機能を最大限に活用しながら実生活場面で麻痺肢を使用した活動を繰り返すことによって機能を回復させる介入がトップダウン・アプローチである（図1）．リハビリテーションの実践により，身体機能や応用的動作能力を再獲得した片麻痺者が家庭復帰や復職を果たしたからといって，麻痺肢を積極的に使用したり，活動性の高い生活を営むとは限らない．むしろ，医療から離れた途端に非活発になる人も多い．したがって，片麻痺者がいきいきとした生活を再び取り戻すためには，発症後に行われるボトムアップ・アプローチだけではなく，トップダウン・アプローチにより適切な身体の動

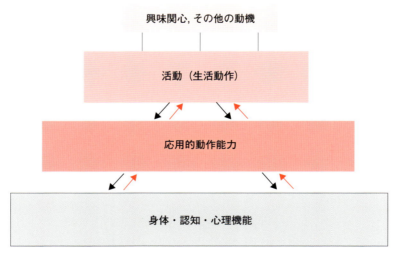

図1　片麻痺に対するボトムアップ・アプローチとトップダウン・アプローチ

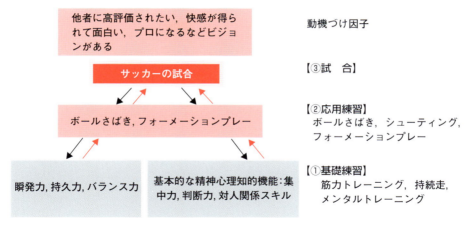

図2 サッカー選手に対するボトムアップ・アプローチとトップダウン・アプローチ
①基礎練習：身体機能が低いと応用練習ができない
②応用練習：応用練習で正しい動作を学習しないと試合は勝てない
③試合：基礎だけだと試合では勝てないし，試合だけだと下手になる

きを学び，活動性を高めていかなければならない．

2 ボトムアップおよびトップダウン・アプローチ

　リハビリテーションの現場では，ボトムアップ・アプローチとトップダウン・アプローチのどちらに比重をおきプログラムを立案するべきなのか，どちらを優先して進めるべきなのかについて考えてみよう．まずはサッカーを例に考えてみる（図2）．まったくのサッカー初心者では，まずは基礎体力を身につけ，次にボール操作などの応用動作を練習する．さらにフォーメーションプレイを繰り返し練習して，最終的に試合経験を積んでいく．このトレーニング構成はボトムアップ・アプローチである．もしもサッカー経験があり，基礎体力に問題がなければ，最初から試合に何度も出場させ，試合を通じて身体機能を向上させるトレーニング構成はトップダウン・アプローチである．しかし，サッカー経験があっても，現在はまったく基礎体力もなくボールに追いつかない人の場合は，基礎体力トレーニングをしながら試合経験を重ねていくボトムアップとトップダウンを組み合わせたトレーニング構成がよいだろう．このように，最終的には試合において最適状態を作り出すことを目標にトレーニングが構成されるが，試合に必要となる身体能力と応用動作能力については，不足していればトレーニングを取り入れるが，満たしていれば試合経験を重ねるほうが効率的に育成できるだろう．

3 片麻痺者のリハビリテーションにおけるボトムアップ・アプローチとトップダウン・アプローチ

　片麻痺に対するリハビリテーションの進め方は，発症後に弛緩した麻痺であれば，まずは機

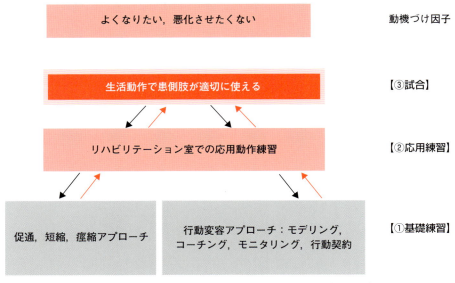

図3 片麻痺者のリハビリテーションにおけるボトムアップ・アプローチと
トップダウン・アプローチ

片麻痺者のリハビリテーションに置き換えると，①機能（随意性・支持性）をよくしないと応用動作ができない，②応用動作は正しく学習しないと生活での実践は不適切な動作を学習，③生活実践だけだと健側優位な代償動作なので機能回復は見込めない

能回復を最優先したトレーニングが行われる（図3）．筋緊張がしだいに高まり，随意性と下肢の支持性が出現すると身の回り動作を健側使用（または健側優位）により練習して自立させていく．最終的には家庭復帰や職場復帰を視野に入れ，自宅の場面を想定したトレーニングを行ったり，住環境を整えて復帰へと導くボトムアップ・アプローチが一般的に行われる．後遺症が残存するものの，社会的には健康人となった生活期においては，日常生活動作や仕事を実践するなかでようやく困難な動作，できない動作に気づくことも少なくない．また，動作ができないわけではないが不活発な生活が習慣化して身体機能が低下する人も多い．

　片麻痺者のトップダウン・アプローチには2つの捉え方がある．その一つは，主に不活発な生活者を活動的になるように促し，いきいきとした生活を奪回するものであり，麻痺側の機能回復よりは生活力の向上に焦点をあててマネジメントするという考え方である．もう一つは，実生活動作について麻痺肢を積極的に使用することにより脳の可塑的変化をもたらし，麻痺肢の機能回復を図ることを目的としたアプローチである．後者の場合，トップダウン・アプローチのみでは進めることはできないため，まずは麻痺肢の機能回復をさせるボトムアップと交互に併用しながらのトップダウン・アプローチが行われる．身体諸機能の大幅な回復が期待できる後者のアプローチでは，脳の可塑的変化をもたらすことが条件となるため，集中した麻痺肢の使用を実生活動作でかなりの時間や実践を行う必要がある．

　前述のサッカーを例に説明したように，片麻痺者についても生活動作の実践に十分な麻痺肢の機能が備わっていればトップダウンを主にしたアプローチで身体諸機能の回復は期待できる．しかし，片麻痺者が獲得したいと望んでいる動作が現状の機能では行うことができない場

合は，まずはボトムアップ・アプローチで身体諸機能を回復させる必要がある．国内で行われている従来の片麻痺治療法は，おそらく機能回復を短時間に改善することはありえないという考え方から，機能回復ではなく現状での残存機能を活用した生活力の向上を図ることに主眼をおいているのであろう．しかし，短時間に麻痺肢の痙性を減弱させ筋出力を増すことができることを前提とした場合は，ボトムアップ・アプローチによりある程度麻痺肢も使用して動作ができるように機能を回復させた後に，片麻痺者の生活の場に帰り積極的に課題を実践するトップダウン・アプローチに移行する手順を踏むことが有効であると考えるだろう．本書で解説するタナベセラピーとは，まさに後者の考え方で，つまり片麻痺者が生活動作において麻痺肢を使用して動作ができるように，まずは医療施設においてセラピストが機能を短時間に回復させ，その後，片麻痺者が帰宅後に課題動作を実践する戦略を図るアプローチである．

第3節 タナベセラピーで実践する行動変容アプローチ

1 新たな行動を受け入れ実行に移すための条件 (図1)

　われわれは習い事をしたりダイエットや語学学習に取り組むなど，より磨かれた自分になりたいという希望を抱き，そのためのトレーニングが用意されたとしても，さぼってしまったり長続きしないことがある．継続して自己管理するということは一般的には難しく，組織に所属して他者の指導監督の下で行わないと習慣化しないことが多い．筆者は，現職以前に幹部自衛官として小部隊の指揮官や教育隊の教官をした経験があるが，自衛隊や軍隊は完全な行動変容介入のプロ集団であると今でも思っている．その教育は，当初，枠にはめた教育訓練を徹底して行わせることで全隊員が明らかな成長を体験する．訓練手法が身につけば，しだいに隊員個人に自主裁量の余地を与えた訓練へと移行し，成果に対して個人を徹底して表彰し讃える．最終的には，教育者は最終目標のみを示し，各隊員が選択した方法で目標を達成させていく，まったく枠にはめられない訓練方法へと推移されていく．気がつけば，自己の成長を果たすための訓練が一人で行えるようになっている．この自律した行動は，除隊後も定着することが多く完全な行動変容を遂げるのである．この行動変容アプローチは，科学的な根拠に基づいてお

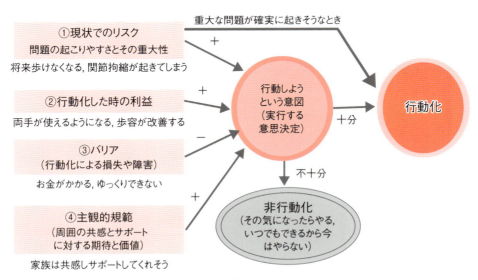

図1　行動化の要因
ヒトは行動しようという意図が十分に備わると行動を起こす．行動化させるためにはプラスの要因（①，②，④）を大きくするように介入する

り，さまざまな分野において取り入れられている.

　どのような介入をすれば片麻痺者は，生活の中で麻痺肢を使うようになるのだろうか，麻痺肢の使用を促す介入とはどのようなものなのか，ホームエクササイズを忠実に実践させるにはどうすればよいのかなど，片麻痺者の動機づけを図る課題に直面した時に，筆者は，「そもそも人が新しい行動を提供された時，その行動を受け入れ実践するための条件は何であるのか」を明らかにしたうえで解決策を考えてきた. 筆者は，ヘルスビリーフモデル（health belief model；行動への期待と価値）[1,2]の4つの信念や行動化を促す自己効力感（self-efficacy）[3]，行動しようという意図，主観的規範（subjective norm）[4]などが，ヒトの行動に影響を与えていると考えている. 以下，その詳細について解説する.

1.　ヘルスビリーフモデルの4つの信念

　ヘルスビリーフモデルは，ヒトの行動を左右させる個人の意識に注目した介入方法である. 片麻痺者の行動は，機能回復や生活行為向上にとって必ずしも望ましい形になってはいない場合が多い. まずは，ヘルスビリーフモデルを用いて自己の行動に影響を与えている4つの信念について考えてみよう.

a．リスク①：1つ目の信念—問題の起こりやすさ（確率）

　脳卒中後1年が経ち，当初は自然回復すると思っていた麻痺肢は回復していない. それどころか関節は固く歩行能力も落ち，だんだん動けなくなってきた. 医師からも運動不足で血液検査データもよくないといわれた. このような状況になると，「重症化しやすくなっている，身体はさらに悪化しやすい状態になっている」など，問題が起こりやすさとは悪い方向になっていると認識する度合いのことである.

b．リスク②：2つ目の信念—問題の重大性

　今の状況のままでいると発生するであろう問題の重大さに対する思いである. このままだと動けなくなってしまう，苦痛な生活がまっている，悪化したら家族は仕事を辞めないといけなくなるなど，問題の重大性に気づくことであり，結果（悪化する，家族の退職）に対する「価値」についての意識ともいえる. ①確率（問題の起こりやすさ）×②価値（問題の重大さ）＝リスクの認識という方程式が成り立つ. ①確率と②価値の両者を強く認識すると，リスクを避けるような行動をとる確率が増す. 片麻痺者に対して問題への気づきを促す場合は，この2点を意識して行うとよい.

c．効果期待値：3つ目の信念—行動の利益

　片麻痺を回復するために勧められた行動が，利益をもたらすか，効果があるのか，さらなる機能低下に陥るリスクを減らせるのかなど，その効果の程度に対する思いのことである. 例えば，定められた歩行パターンで屋外歩行を毎日1時間行うと，本当に歩行能力が改善するのか，発症後2年も経過して上肢の集中練習を行っても機能低下のリスクを減らせるのか，と

いった思いである．これは行動化するとよいことが起こるだろうという結果への期待と価値である．

d．障害（バリア）：4つ目の信念—行動化による損失や障害

片麻痺を回復させるために勧められた行動を行うことによって，損失や障害が生じると思う程度のことである．例えば，集中練習に参加すると，日中ゆっくりとくつろぐ楽しみがなくなる，お金がかかるといったことである．これは，行動の利益の反対で，よくないことが起こるだろうという結果への期待と価値である．リスクが「現在の行動」の結果に対する意識であるのに比して，効果期待値とバリアは，現在の行動をやめて新しい行動をとった結果に対する思いである．

この4つの信念で，どの信念が最も行動に影響しやすいのかは個々の状況によって異なるが，一般的にリスクや期待値ばかりを強調してもバリアなど実際の行動を妨げているものがあると行動化しないため，それを取り除く必要がある．毎日ホームエクササイズをするかどうかは，面倒か否かといったバリアが一番影響していることも多い．また，この4つの信念は，リハビリテーションのためのホームプログラムを計画・実施する際に必ず考慮しなくてはならないことである．治療プログラムに参加する片麻痺者が積極的にプログラムを実践させるためには，現状のままでいることに対する問題の起こりやすさと，その重大性に気づかせること，およびプログラムに参加した場合の効果期待値を大きくすることが重要である．治療プログラム前の面接においては，これらのリスク，効果期待値について説明をすることによりバリアに対する認識は自ずと小さくなる．

2．行動化を促す自己効力感（自信）

自己効力感は，ある行動が自分はできるという自信のことである．3キロの屋外歩行練習を勧めても，それが自分にはできるという自信がない限り行動化しない．自己効力感は，実際にできる能力がなく思い込んでいる状態でも効果的であり，やや困難な課題へチャレンジする精神を持続させ成功へと結びつけることができる．行動化を促す片麻痺者に自己効力感（自信）がない場合は，バンデューラ[5]が唱えた成功報酬とモデリングの実践により学習されていく．

a．報酬

ヒトは課題が成功した経験をとおして喜び，他者から賞賛を得て自信をもっていく．そのため，課題設定は成功する見込みのあるものとする必要がある．最終的な目標に到達するためには，まずは小目標を設定して段階的に目標に到達させていく．

b．観察学習，モデリング

他患者を観察して学習することである．実際に，プログラムに参加した片麻痺者の動画を撮影し観察することは効果的である．これがモデルとなり，参加すると自分が何をすべきか，ど

第Ⅰ章 中枢神経疾患の再構築アプローチの理論—タナベセラピー

のように変化するのか想像がつく．年齢や性別，麻痺レベルの類似する人がモデル対象になるようにするとよい．動画がない場合は，評価記録を用いて動作の改善内容をジェスチャーで示すなどの工夫をするとよい．

c．自己効力感

自己効力感は，周囲の環境との相互作用で決まるものでもある．リハビリテーション室で多数の片麻痺者が積極的に麻痺側荷重の歩行をしていれば，麻痺側荷重の自己効力感は高くなるが，周囲全体が健側荷重の杖歩行をしていると麻痺側荷重歩行に対する自己効力感は低くなる．このように，周囲の人々との相互作用や影響によって自己効力感が変化して行動に影響するという考え方は，社会認知理論として知られている．個人の行動をみる場合は，周囲の行動がどのような状況にあるのかについても注意する必要がある．

3. 行動しようという意図

片麻痺者は，身体機能が低下するリスクを避けたい，または身体機能を回復させたい場合には，医師やセラピストから勧められた行動をとることがよいということは理解している．しかし，それを実行する自信さえあれば行動化するとは限らない．例えば，集中練習は今すぐ行わなくてもいつでもできる．筋力トレーニングは，そのうち真面目に取り組むから今は行わなくてもいいと思っている人もいる．実際に行動化しないのは，なぜだろうか．実行する時期を計画的に意志決定されていない場合には，行動化しないまま経過してしまう．いつ実施してもよいトレーニングは，明日からすぐに行わなくてもよいと解釈するし，また実施時期をいつからと決められないでいる場合が多い．したがってセラピストは，いつ実行するのかの明確な意図を示す必要がある．実行時期の明示は，それが実際の行動への一歩を規定させる（アイゼンとフィシュバインによる計画行動理論，プランドビヘイビア理論[6]）．

4. 主観的規範（他者に対する期待と価値）

片麻痺者は，その行動が重要であり，行う必要性があると思っていても家族などの賛同が得られなければ行動化はしない．家族や同僚，友人などが「そんなことしていいの？」「たいへんだからしないほうがいいのでは？」などと，少しでも反対意見が聞かれたりすると行動化するのをやめてしまう．特に片麻痺者は，日ごろ支援してくれている家族や同僚などの意見や考え方に影響されており，自分の意図と他者が一致しているかについて考える場合が多い．特に周囲の人々が全面的にセラピストと本人に共感してサポートしたいと思っているか，どうかについては行動化させるうえでたいへん重要な要因になる．この周囲の人々が自分の行動に賛同し，サポートしてくれるという期待と価値に対する意識を主観的規範あるいは主観的社会規範という．

19

第3節 タナベセラピーで実践する行動変容アプローチ

2　新たな行動を採用して現在の行動を変容させるための介入方法

1．片麻痺者の現状に対する問題点を顕在化させる

a．片麻痺者特有の問題点とその重大性の説明例

　医学的な諸問題（表1）を片麻痺者に説明する時に有効となるのが，図2のような事例の写真による紹介である．例えば，「筋の細胞が正常の50％程度に減少します」といった説明だけでイメージすることは難しく，筋萎縮を起こした組織の顕微鏡写真をみせると，問題点への認

表1　片麻痺者の医学的な諸問題

①筋力低下
②関節可動域制限，関節拘縮
③血液循環不全，毛細血管の減少
④歩行不能
⑤日常生活動作能力の低下，セルフケア要介助

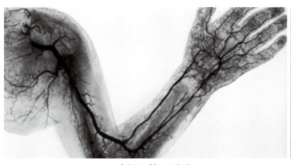
a．毛細血管の減少

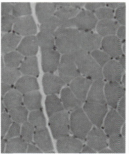
b．正常筋組織と毛細血管

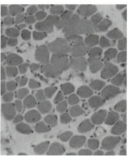
c．片麻痺者の筋萎縮と毛細血管の減少

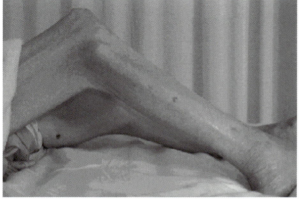
d．関節拘縮，皮膚の短縮

e．筋腱の萎縮

図2　現状に対する問題点を顕在化させるために用いられる事例写真の一例

識がより強くなる．特に，自宅で屋内歩行が自立していた片麻痺者が不活発な生活の原因で歩行困難となり，身の回り動作に終日家族の介助が必要になった事例を紹介すると，「このままでは，まずい」と強く思うことが多い．さまざまな事例の写真を医療施設でパネルとして用意しておき，対象者に応じた写真をその都度用いると，現状に対する問題点について意識化させることができる．

2．片麻痺者に行動の利益を顕在化させる

　片麻痺者が 2 週間のタナベセラピーを行った時の期待できる効果の説明については，表 2 であげる内容である．また，表 3 に示すような具体的数値などを用いると効果的であり，これにより行動の利益を顕在化させることが可能となる．

3．片麻痺者に行動化を促す自己効力感（自信）顕在化させる

　片麻痺者に 300 m の屋外歩行練習を始める場合，それが自分にはできるという自信をもたせるための方法の一例として，①報酬：まずは屋外の平地を 20 m 程度歩いて称賛する，②モデリング：麻痺のレベルが類似する片麻痺者が屋外歩行をしている様子を観察できる場面を設定する，③周囲の環境との相互作用：屋外を歩く自信がない片麻痺者の場合は，他の片麻痺者が集団で散歩する行事に，まずは車いすを使用して参加させる．実際に屋外に出てみると，他の片麻痺者が奮闘する様子をみて「やってみよう！　私にもできるかも」と自己効力感が増し，歩くことを試みたりすることもある．また，他の片麻痺者から「歩きましょう！」と言葉がけを受けることで歩き出す場合もある．このようにして自己効力感を高めさせる．

表 2　タナベセラピーを行った時の期待できる 5 つの効果

①上肢機能・歩行能力・言語能力の改善
②血液循環・神経伝達速度・体液循環・血圧・低体温の改善
③生活動作の改善・快適性向上，職務スキルアップ
④趣味・余暇活動の再開
⑤親族・友人との交流

表 3　効果期待値の説明例（文献 7 より引用）

【歩行量が健康に与える影響に関する知見（疫学的研究の結果から）】
　①1 日 1 万歩（週 2,000 kcal）→総死亡率の低下，冠動脈疾患・高血圧症の発症率の低下
　②1 日 4,000 歩以上→うつを予防できる
　③1 日 6,000 歩以上→動脈硬化を予防できる
　④1 日 8,000 歩以上→骨粗鬆症・筋肉の減少を予防できる

第3節　タナベセラピーで実践する行動変容アプローチ

4. 片麻痺者の家族に主観的規範を顕在化させる

　介入前の面接に家族などが同席する場合は，それぞれの決定事項について家族も理解し承認しているかを確認する必要がある．家族が全面的にプログラムの主旨や内容に共感して協力したいと思っていなければ，主観的規範は低くなりプログラムにも積極的に取り組めなくなる．したがって，家族への十分な理解を得るために，具体的なプログラムの内容を納得がいくまで懇切丁寧に解説し協力態勢を必ず獲得させる．

5. 片麻痺者に行動しようという意図を顕在化させる

　片麻痺者は，セラピストから勧められた行動をとることがよいことは理解しているが，実行しようとはしない．「そのうちやる」と思いつつ実践しなくても誰にも迷惑はかからないし，大きな損失を被ることもないため行動しようという意図がある．実行する意思決定は，今のままではまずいと思うこと，行動すると改善すると思うこと，家族や同僚の後押し，そしてセラピストとの約束（契約）を結ぶなどの要素が相乗した時に起こりやすくなる．そこでセラピストと片麻痺者間で行われるプログラムの選定において，いつ，どこで，何回実行するのか明確に示し，片麻痺者に行動しようという意図を起こさせる．

📋 *Clinical Hint*

人の目がないと，ついさぼってしまう人はどうすればよいか？

　回復意欲があって治療を受けにくる片麻痺者でも，いざ病院を離れるとさぼってしまう人も多い．さぼりがちな片麻痺者にとって成績を左右するのは，家族など付き添う人の後押しである．そのため，家族などの介助者に治療の意義や目的，その方法について十分理解していただくことはとても大切である．特に，具体的な練習回数や時間，補助は，どこまでしてよいかについては家族などに詳しく説明しておくとよい．

3　タナベセラピーの行動変容ステージ

　タナベセラピーを希望してくる片麻痺者は，現状のままでは満足できず，多かれ少なかれ今の状況から脱して身体諸機能を改善したいと思っている．しかし，タナベセラピーに必要な時間などを告げると，参加を躊躇してしまうなどバリアを感じてしまうことが多い．多くの場合，関心をもっているが図3の無関心期といわれるステージにいることが多い．

　タナベセラピーは，図3の行動変容ステージの手順を踏む．実際にタナベセラピーのプログラムで効果がでるステージは行動期であり，実施期間は2週間から場合によっては6カ月ほどとなる．プログラムに参加する前に必ずしておかなければならないことは，片麻痺者本人と家

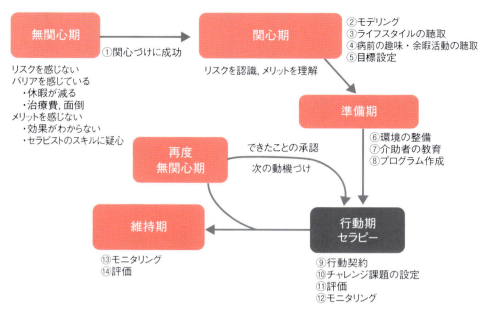

図3　タナベセラピーの行動変容ステージ

族（介護人）にタナベセラピーの効果や具体的な取り組み内容を正しく理解してもらい，十分に動機づけられた状態にしておくことが必要である．理解が不十分な場合は，セラピストが特殊な徒手的テクニックで諸機能を回復させてくれるのが本セラピーの内容と思ってしまい，セラピストがいない自宅で麻痺肢を用いたトレーニングを始めても，まったく応じない日々が過ぎてしまうことになる．

　すべての片麻痺者は身体諸機能が改善し，日常生活において麻痺側上肢や手指を多用するように変化したり，歩容が改善して歩行スピードやバランス能力が向上し，さまざまな場所に出かけられるようになる．しかし，この行動変容が生活の中で習慣化づく維持期に達するには約6カ月間が必要であり，プログラム終了後も最低1カ月に1度は医療施設においてモニタリング面接を行わなければならない．

文献
1）Becker MH：The health belief model and personal health behavior. Cales B. Slack：Thorofare, New Jersey, 1974
2）Rosenstock IM：Historical origins of the health belief model. *Health Education Monographs* **2**：328-335, 1974
3）Bandura A：Self-efficacy：toward a unifying theory of behavioral change. *Psychol Rev* **84**：191-215, 1977
4）Lewin K：Field theory in social science-Selected Theoretical Papers. Harper & Brothers, New York, 1951
5）Bandura A：Social learning theory. Prentice-Hall, Englewood Cliffs, 1977
6）Ajzen I, et al：Theories of Cognitive Self-Regulation. *Organizational Behavior and Human Decision Processes* **50**：179-211, 1991
7）Alexia C, et al：Is Sprawl Unhealthy? *Journal of Planning Education and Research*. **24**：184-196, 2004

第Ⅱ章
タナベセラピーのプログラムとは

第1節

タナベセラピーのプログラム概要

1 上肢および下肢のプログラム

　タナベセラピーのプログラムには，上肢プログラムと下肢プログラムがあるが，いずれも同じ構成を用いる．基本的には上肢と下肢のプログラムは別々に行われるが，比較的に麻痺が軽度で，すでに活動性が高い片麻痺者に対しては，上肢と下肢を混合したプログラムも可能である．しかし，混合したプログラムは麻痺肢の耐久性が低い片麻痺者や麻痺肢の使用が努力性に行われる片麻痺者では，上肢および下肢とも十分なアプローチの時間がえられず中途半端に終わってしまうことが多い．したがって，下肢のプログラムの合間（座位での休憩時間）に，上肢のプログラムが十分にこなせるほどの活動性と耐久性がない場合は，それぞれ別々に行うべきである．また，下肢と上肢のいずれを優先して行うべきかについては，麻痺のタイプにより異なるため一概にはいえないが，一般的には歩容の悪さが上肢の筋緊張を高めやすいことから下肢を先に改善すべきと考える．その理由は，歩容や立位バランスを安定させ，次に上肢のプログラムを実践させると立位や歩行を伴う上肢および手指を用いた活動における安全性が確保されてよい．下肢は体性機能局在性（somatotopy）の場所が小さく，上肢に比べて回復しやすいことなどから1週間以内の下肢のプログラムを上肢のプログラムより優先して行い，その後，数週間の期間を空けて上肢のプログラムに取り組むことを推奨する．

2　1日における介入時間とその期間

　タナベセラピーの理想的なプログラム期間は，2週間（平日のみ10日間）で1日6単位（2時間）のセラピスト介入であるが，この時間を確保することは片麻痺者もセラピスト側も困難である．したがって，麻痺の程度，就業形態など片麻痺者側の状況や使用できる診療単位数など医療施設側の診療可能時間を配慮してプログラムは決定される．

　これまで，さまざまな背景をもつ片麻痺者がプログラムに参加できるように，医療施設への来院可能日数や診療可能時間などを配慮してプログラムを個々に作成した．以下は，その事例である．いずれにしても，治療の場は片麻痺者の生活実践の場であり，治療はセラピストから離れた場所で行われるものである．したがって，セラピストが関わる頻度や時間よりも，片麻痺者がどれほど主体的に麻痺肢を使って積極的に実践できるかが重要となる．

1. 1日に介入可能な時間を考慮したプログラム

a. 1日1〜2単位（40分以内）の介入

2単位以内でセラピストが介入する場合，片麻痺者と面接時間を設けることができない．そのため，プログラム課題中に昨日の取り組みに対するモニタリングを行い，練習の終盤に麻痺肢の機能回復の程度を配慮して自宅で行う課題をセラピストが選定することにより時間内に介入することができる．短時間での介入のデメリットは，傾聴したモニタリングができないことと，徒手的アプローチの時間がきわめて少なくなることである．したがって，自宅での課題実践に意欲的な片麻痺者は影響を受けないが，モチベーションが高くない片麻痺者には，十分な対話時間が確保できないので不利となる．また，短縮の改善や痙性減弱に費やす時間が長く必要な場合や，筋出力が弱く促通に時間が必要となる患者の場合は，比較的に容易な課題に限定した課題プログラムを選択するとよい．

b. 1日3単位（1時間）の介入

3単位の場合，介入当初はたとえ十分な時間がなくても対座による面接を行い，昨日の取り組みに対するモニタリングを行うのがよい．つい時間がないと，機能回復に時間を多くかけたくなるが，プログラム実践の場はあくまでも片麻痺者の自宅であるため，対座での面接により取り組みについて傾聴することのほうが効果的である．また，徒手的アプローチに時間がかかる片麻痺者で，手指の屈筋痙性が強い場合は，手指伸展スプリントを装着してストレッチをした状態で面接を行うとよい．

c. 1日6単位（2時間）の介入（スタンダード・プログラム）

1日6単位を確保できる場合は，セラピストはゆとりをもって効果的なプログラムが実践できる．開始から20〜30分はモニタリング面接を行い，終盤の20分間でプログラム課題を選択・決定する．プログラム課題に費やせる時間は少なくとも1時間あるので，筋緊張が高く随意性を引き出すのに時間を要する麻痺肢に対しても十分な治療時間が確保できる．

📋 *Clinical Hint*

1日6単位の介入を推奨しているが，必ずともすべての片麻痺者に必要とはいえない

片麻痺者で麻痺の重症度が重いほど，介入時間が必要であり，その場合は1日6単位のセラピスト介入，つまり徒手的アプローチで短縮および痙縮の治療・促通を重点的に行う必要がある．逆に軽い場合は，1日1〜2単位のセラピスト介入でよく，できるだけ自宅で麻痺手による生活動作を取り組ませるとよい．

第1節　タナベセラピーの治療プログラム概要

2．介入期間を考慮したプログラム

a．2週間（平日のみ10日間の介入）の来院・来所の場合（スタンダード・プログラム）

　上肢では，2週間にわたり集中したセラピーが行われると脳の可塑的変化をもたらすのに十分な期間を確保できると考えられる．そのため，一度の介入期プログラムで完了することができる．介入後は月に1度以上のモニタリングと機能評価を半年間行いプログラムが終了となる．

b．1週間（平日のみ5日間の介入）の来院・来所の場合

　上肢のプログラムの場合，1週間の介入で顕著な機能回復がみられる場合もあるが，新たな機能局在部位と運動ネットワークを再構築させるには不十分な期間となる．せっかく大幅に回復の兆しが現れてきているのに，1週間の労力が功を奏することなく効果が持続しないまま終わることが予測される．片麻痺者の都合などにより1週間のみのプログラム参加となる場合，介入後2週間は少なくとも2～3回の外来による介入を入れ，片麻痺者に対してプログラムの翌週も引き続き，積極的に麻痺肢を使用するよう十分な説明を行う．できれば，プログラム開始から2週間が経過した日に外来の予約を入れ，モニタリングを行う約束をしておくと効果的である．結果的に2週間にわたり麻痺肢を積極的に使用できれば，2週間のプログラムに準じた機能回復が可能であるため，片麻痺者のモチベーションを最大限に引き上げ，維持させる必要がある．

　下肢のプログラムの場合，1週間の介入でも大幅な歩容の改善に成功するケースも多く，かなり活動範囲が広がる．特に下肢のプログラムでは疲労度が大きく，むしろ適度なプログラム期間なのかもしれない．ただし，横断歩道を渡る課題や電車に乗る課題のような公共機関などの屋外移動の各種課題を達成するためには，単に歩容を安定させるだけでなく，その場面への慣れと恐怖感の克服が必要であるため1週間では足りない．まずは1週間で平地歩行と立位のバランス能力を改善させ，数カ月経過した後に公共機関などの屋外移動の各種課題に焦点をおいたプログラムへと移向するとよい．

c．3日間の来院・来所の場合

　上肢のプログラムを単独で3日間行った場合では，大脳皮質の再構築にはいたらないため顕著な麻痺肢機能の改善は期待できない．しかし，プログラム参加前の状態に比べれば，3日間の介入は明らかな機能改善がみられるはずである．小さな機能の回復ではあるが，日常生活動作においてはわずかにでも改善される動作もあるはずである．大きな進歩は期待させず，小さな改善を目標に3日間を有効に活用すると，片麻痺者は次なる短期間プログラムに期待することができる．365日リハビリテーションの実施病院などでは，土日を活用して小ステップに機能を改善していくこともできる．

d．週1～2日の来院・来所の場合

　週1～2日のプログラムでは，機能回復の効果は薄い．ただし，CIセラピーでは，就業者のために考案されたmodify CIセラピーがあり，週に数回の外来診療を10週間繰り返すmodif

28

CIセラピーを行うと2週間の連続プログラムに近い成果が得られたと述べられている[1]. したがって, 週に1〜2回, 医療施設に外来通院されている片麻痺者の場合でも, プログラムを数カ月続けることで機能回復が期待できる.

📋 *Clinical Hint*

スタンダード・プログラムではないと100%の効果は出ないのか？

　それは,「2週間かけてセラピストが半日つきっきりで治療介入するのがベストではないか？」と思う人が多いであろう. しかし期間が短くても, またセラピストの治療介入時間が短くても麻痺肢の機能が大きく改善するケースがたくさんある. 回復の決め手は, 片麻痺者が他人に頼らず, いかにして自分自身のトレーニングでよくしていこうという気持ちである. 例えば, 手の伸ばし方は, このほうがよい, 振り出しはこうしたほうがよいなど, セラピストが指示した正常パターンを自身が試行錯誤して取り組んだ片麻痺者は, 介入時間に関係なく大きく改善する傾向にある. したがって, プログラム期間は脳の可塑的変化を及ぼすのに必要な2週間が理想的であり, そしてセラピストが関わる時間は, つとめて短いほうがよく, 片麻痺者が麻痺肢で課題実行が可能になった時点で終了とする.

文献

1) Fleeta A, et al：Modified constraint-induced movement therapy for upper extremity recovery post stroke：what is the evidence? *Top Stroke Rehabil* **21**：319-331, 2004

第2節

タナベセラピーのプログラム手順

1 タナベセラピーのプロトコル

　タナベセラピーのプロトコルは，1. 介入前の面接，2. プログラムの実施，3. 介入後のモニタリングがある（表1）．それぞれ1〜3の過程を踏む．この手順を踏むことによりプログラムに参加する片麻痺者は，積極的にプログラムへ参加できるように動機づけられ，セラピスト側が意図する治療方針を理解しながらプログラムを実践し，新たな行動を生活に汎化させることができる．

2 介入前の面接（表2）

　介入前の片麻痺者は，麻痺肢を改善したいと思ってはいるものの，具体的にどのように改善したいのかが明らかではないことが多い．また，プログラムがどのような実践を伴うものであ

表1　タナベセラピーのプロトコル

プログラムの構成	実施項目
1. 介入前の面接（介入の1週間から2カ月前）	①現状の問題点（起こりやすさと重大性）の意識化 ②プログラム効果を認識させるためのモデリング ③ライフスタイル・趣味・余暇活動・生きがいの聴取 ④ニーズ・ホープ・目標の設定 ⑤プログラムの説明と自己効力感の醸成 ⑥個別プログラムの作成 ⑦主観的規範を高めるための家族指導 ⑧行動契約 ⑨プログラム参加同意書への自筆署名（同意書）
2. プログラムの実施	①モニタリングと機能評価（STEF，その他） ②ボトムアップ・アプローチ ③トップダウン・アプローチの選定 ④自宅で行動契約した活動とトップダウン・アプローチの実施
3. 介入後のモニタリング（介入後6カ月間）	①モニタリングと機能評価（STEF，その他）

STEF：簡易上肢機能検査

るかを理解しておらず，ハードなトレーニングに耐えうるだけのモチベーションを備えていない場合が多い．片麻痺者は，できれば簡便で安楽な方法で治療を受けたいと考えていることも多く，事前に十分な説明と動機づけの面接を行う必要がある．

介入前の面接では，表2の①から⑨の内容について面接を行い，十分なモチベーションを備えプログラムを十分に理解したうえで実施する．介入前の面接とプログラムの実施は，少なくとも1週間，長くとも2カ月間の猶予期間をあけることで，麻痺肢を用いて生活動作ができるように取っ手やループを取り付けるなどの環境を整えることができ，また積極的に取り組むための気概が醸成される．このような適度な日数間隔を確保することにより，片麻痺者がプログラムに取り組む気概が醸成されるだけでなく，プログラムに取り組むための物心の両面が準備できる．例えば，上肢のプログラムでは麻痺手を使用したトレーニングがやりやすくなるための自助具の取り付けなどを行ったり，下肢のプログラムでは屋内の歩行に向けたさまざまなアイデアを考案したり，屋外歩行コースを選定したりするなど，安全性を確保して，できるだけプログラムが容易に行えるように準備をする．この準備への取り組みが，さらに家族を協力的にするのである（主観的規範）．なお，介入前の面接の際，表2の①と②はあらかじめビデオを用意し鑑賞してもらっておけば，セラピストが直接的に面接にかかわる時間は40分以内に終わることができる．

1. 現状の問題点（起こりやすさと重大性）を意識化させる

麻痺肢に対する治療を行わず，このまま放置することによるデメリットを明確に示し「この

表2　介入前の面接の詳細

①現状の問題点（起こりやすさと重大性）を意識化：このまま放置することによるデメリットを明示する
②プログラム効果を認識させるためのモデリング：ほかの片麻痺者の介入前後の動画鑑賞などを行うことで，回復程度のイメージがつく
③ライフスタイル・趣味・余暇活動・生き甲斐の聴取：現在と病前について，それぞれ聴取する
④ニーズ・ホープ・目標の設定：モデリングにより具体的にどれくらい改善が見込まれるのかを理解したうえで目標などを設定する
⑤プログラムの説明と自己効力感の醸成：具体的なプログラム内容を説明することにより，「その内容ならできそうだ」と思うことができる
⑥個別プログラムの作成：ライフスタイルや趣味・余暇活動・生き甲斐を考慮してプログラムを作成する．
⑦主観的規範を高めるための家族指導：要介助活動について「手伝う」「手伝わない」を「介護者契約」により明確に決定する
⑧行動契約：上肢は「麻痺肢で行う活動」「両側肢で行う活動」「非麻痺肢で行う活動」を約束，下肢では「単独で行う活動」「必ず身体を支持して行う活動」「監視または付き添いが必要な活動」を約束する
⑨プログラム参加同意書への自筆署名（同意書）：対座面接により十分な説明を行った後に同意を得る

ままでは，まずい」ことをあらためて気づかせるのが狙いである．例えば，関節可動域や筋力，歩行スピードなど評価結果の経時的な変化について説明するなど，根拠を示すと効果的である．また将来，諸機能の低下をもたらすなど身体機能面以外にも，介護を要するリスクが高くなり，そのことにより家族が仕事を辞めて介護しなければならなくなったり，膨大な施設入所経費が必要となるなど，予測されるデメリットをすべて説明するとよい．一般論は他人事として聞き流すこともあるため，筋萎縮や関節硬縮の写真などを用意しておき活用するなど視覚的な説明は効果的である．

2. セラピー効果を認識させるためのモデリング

過去にタナベセラピーを受けた片麻痺者の介入前後の動画や，プログラム実施中の動画を鑑賞させたり，実際にプログラムを受けた片麻痺者と面談するなどモデルを示すのがモデリングである．鑑賞する動画の選定は，その片麻痺者と麻痺のタイプ，年齢，性別などが類似する人を選ぶ．類似の鑑賞は，プログラムに参加した場合にどれくらいの改善が期待できるのか，おおよその見当がつく．なかには病前の状態に戻ると考えたり，さほどよくはならないと考えている人もいるため，モデリングは介入前に必ず行われるべきである．

3. ライフスタイル・趣味・余暇活動・生き甲斐の聴取

a．ライフスタイルの聴取
片麻痺者の平日と休日のライフスタイルについて，起床時から就寝時までに行われる活動を聴取する（ライフスタイル・アセスメントシートを使用；表3.）．そして，列挙した各活動についての麻痺肢の使用状況についても聴取する．ライフスタイルを聴取する前に Motor Activity Log（MAL）を評価しておくと，麻痺肢の使用頻度がわかるため生活における麻痺肢の使用状況は聞き出しやすくなる．

b．趣味・余暇・生き甲斐活動を聴取
病前に行われていた趣味・余暇活動や生きがいとなっていた活動があれば聴取する．聴取した内容が，例えば自転車やバイクに乗ることなど危険を伴う目標などには触れず，機能回復により再獲得することが妥当と思われる趣味などについて，詳細な活動内容を聴取する．

c．ニーズ・ホープ・目標の設定
ニーズやホープ，獲得したい動作目標を考える場合，セラピストは「あなたがモデル事例のような回復がみられたと考える時，どのような動作を再獲得したいのか確認をしましょう」と前提条件を示したうえでニーズやホープ，目標を設定する．病前の趣味やライフスタイルについて各活動項目を一つずつ確認しながら，達成ができそうな目標をセラピストと片麻痺者，できれば家族も交えて設定していく．

第Ⅱ章 タナベセラピーのプログラムとは

表3 ライフスタイル・アセスメントシート

病前行われていた生活

時　間	活　動	詳　細
起床（　　：　　）		
就寝（　　：　　）		

現在の生活

時　間	活　動	詳　細
起床（　　：　　）		
就寝（　　：　　）		

d．プログラムの説明と自己効力感の醸成

　脳の可塑的変化が期待できるプログラムは，2週間を連続してアプローチする設定が最も望ましい．しかし，職場を休むことができなかったり，家族の都合などによって2週間の連続したプログラムを受けることが難しい人も多い．筆者も5日間の短縮プログラムや3日間の短縮プログラムを複数回繰り返すプログラムを多数行ってきたが，いずれも身体機能の回復と生活場面での麻痺肢の使用の汎化ができた．治療成果については個人差もあることから，介入期間については個別に設定しなければならない．ただし，セラピストの介入時間は努めてその日の

33

早い時間に設定し，ボトムアップ・アプローチをできるだけ早く終わらせて自宅でのプログラムに長時間取り組めるように配慮しなければならない．なお，毎日外来受診できない片麻痺者については，あらゆる手段（面接，メール，電話）を用いて活動状況を毎日モニタリングしてフィードバックできるようにプログラムを設定する．

4. 主観的規範を高めるための家族指導

　　実際の生活場面がプログラムの主な実践の場であるため，家族は片麻痺者の治療に対する動機づけや成果に大きく影響を及ぼす．片麻痺者が積極的に取り組んでいる最中に，「そんなにがんばらなくてもいいよ」「それは，私がやっておくからやらなくていいよ」など，家族がプログラムの邪魔をすることもある．そのため，治療理論やプログラムの内容については家族にも徹底して説明するべきであり，セラピストと片麻痺者，そして家族が同じ考えのもとで取り組めるようにすることが重要である．また，手伝ってしまうとプログラムの機会を奪うことになることと，手伝うことにより麻痺肢を多用する機会をなくすことにつながることがあるため，家族は具体的にどのように関わるべきか戸惑うことも多い．介助が必要となりそうな活動は，すべて「手伝う」「手伝わない」を家族には明確に示しておく必要がある．

5. 行動契約

　　上肢のプログラムの行動契約とは，自宅や職場などにおいて麻痺肢で課題に取り組む時に，「麻痺肢で行う活動」「両側肢で行う活動」「非麻痺肢で行う活動」を片麻痺者と取り決めをして書面により，これを約束するものである．また，下肢のプログラムの行動契約は「単独で行う活動」「必ず身体を支持して行う活動」「監視または付き添いが必要な活動」を約束する．行動契約の契約文書は，単なるルールの覚書ではない．行動契約書は厳守されるべき契約書であるため，片麻痺者に対して文面を厳正に読み上げ，同意の意志が確認できたうえでサインをもらう．「一応，念のためにサインを」といった弱い取り決めではなく，不動産の契約を結ぶ時のような，やや緊張感のある対応が望まれる．厳正な場で約束を結ぶことにより，片麻痺者は行動契約内容を遵守するようになる．

6. プログラム参加同意書への自筆署名（同意書）

　　介入前の面接の最後に，本人と家族に自筆同意書へのサインを依頼する．

第Ⅱ章　タナベセラピーのプログラムとは

> 📋 **Clinical Hint**
>
> **意欲があって積極的に取り組めそうな人にも介入前の面接って必要？**
>
> 　そのような人でも必ず介入前の面接は行う．当初，意欲がみられる人でもプログラム期間中に気を抜く時がある．介入前の面接を実践した片麻痺者は，常に積極的に，そしてセラピストの指示に対して忠実にプログラムを取り組む傾向があるので必ず行う．

> 📋 **Clinical Hint**
>
> **契約社会のアメリカではないので，署名までする契約はやりすぎでは？**
>
> 　口頭での約束と書面契約では，片麻痺者の責任感が違ってくる．署名して同意した約束だから，絶対に厳守したいという声を多く聞く．

3　プログラムの実施

　介入前の面接により患者・家族は，プログラムの初日からすぐに積極的に取り組むことができる．プログラムの実施期は，医療においてボトムアップ・アプローチとトップダウン・アプローチ，モニタリングを行う．なお，本書では指向型課題練習（動作の達成ができるように指向した練習をいう）を用いたアプローチをボトムアップ・アプローチ，チャレンジ課題（自宅などで麻痺肢を用いて取り組む実践的な課題・練習をいう）を用いたアプローチをトップダウン・アプローチとする．医療施設での介入は，自主トレーニングを含め9時から開始して約2時間，遅くとも12時までには終了したほうがよい（表4）．

　医療施設における日々の介入は，上肢のプログラムについては麻痺手での物品操作が反復してできるようなり，自宅でのトップダウン・アプローチ課題が選定できた時点で終了し，下肢のプログラムでは，ロッカー機能が出現して交互の振り出し歩行ができ，自宅でのトップダウン・アプローチが選定できた時点で終了する．

表4　プログラムの実施例

区　分	初　日	2日目以降
①09：00〜09：20	機能評価（STEF）	モニタリングと機能評価（STEF）
②09：20〜10：00	ボトムアップ・アプローチ	ボトムアップ・アプローチ
③10：00〜10：20	トップダウン・アプローチの選定	トップダウン・アプローチの選定
④自宅滞在時間	自宅で行動契約した活動とトップダウン・アプローチの実践	自宅で行動契約した活動とトップダウン・アプローチの実践

STEF：簡易上肢機能検査

1. モニタリングと機能評価

ａ．モニタリング

　モニタリングは，プログラムの2日目以降において片麻痺者が医療施設で最初に行うべきことであり，来院時までに片麻痺者が麻痺肢を使って取り組んだ内容などを聴取する．その際，着座で対面して面接を行うことが望ましいが，面接時間がない場合は，ボトムアップ・アプローチの前に行われる徒手的治療の間やボトムアップ・アプローチ中に行うこともできる．聴取すべきことは次のとおりである．

ⅰ．行動契約について

　麻痺手の使用，両手の使用，健側手の使用の行動契約が遵守されているかを聞きとる．遵守できていない場合は，決して否定せず（過去否定型），今後，遵守するためにはどうしていけばよいかを片麻痺者にたずねる，もしくは話し合うなど未来肯定型の介入法をとるようにする．

ⅱ．トップダウン・アプローチへの取り組み

　着手したトップダウン・アプローチと実施時間について聴取する．主として成功体験を聴取し賞賛する．チャレンジしたができなかった課題については，どの作業工程ができなかったのか，不足していた運動要素は何であったかについて聴取する．また，できなかった動作について自助具の紹介や家具の配置換えなどの創意工夫のアイデアを提供するのも，この面接において行う．

📋 *Clinical Hint*

**　モニタリングは個室で対面となって行わないといけないのか，時間ない時は省略できるのか？**

　モニタリングは課題作業の合間にもできるが，そのような会話は心に残らないことが多い．そのためプログラムを始める前に面接室で対面して行うのが最も効果的である．ただし，時間がない時にはプログラム（練習）中の手を止めて，その場で短時間に行っても効果はあるので，省略は絶対にしてはならない．

ｂ．機能評価

　機能評価は，どの評価ツールを用いてもよいが筆者は簡易上肢機能検査（STEF：Simple Test for Evaluating Hand Function）を用いている（表5）．STEFの実施は，上肢機能がどれだけ改善したかについて健常を100点満点とし，明確に知ることができるツールとして役立つほか，有効な機能練習となる．これは，時間を計測せずに行われる机上課題と異なり，明確なルールに従いタイムを競って集中して行われるため，脳の賦活が期待できる有効な練習法となる．

表5 簡易上肢機能検査 (文献1) より引用)

NO.	検査方法(台)	検手	制限時間	10	9	8	7	6	5	4	3	2	1	差の指標
検査 1 (大球)		右	30	5.9	7.7	9.5	11.3	13.1	14.9	16.7	18.5	20.3	30.0	1.2
		左	30	6.5	8.6	10.7	12.8	14.9	17.0	19.1	21.2	23.3	30.0	1.4
検査 2 (中球)		右	30	5.3	7.1	8.9	10.7	12.5	14.3	16.1	17.9	19.7	30.0	1.2
		左	30	5.6	7.4	9.2	11.0	12.8	14.6	16.4	18.2	20.0	30.0	1.2
検査 3 (大直方)		右	40	8.7	11.4	14.1	16.8	19.5	22.2	24.8	27.6	30.3	40.0	1.8
		左	40	9.5	12.5	15.5	18.5	21.5	24.5	27.5	30.5	33.5	40.0	2.0
検査 4 (中立方)		右	30	8.3	10.7	13.1	15.5	17.9	20.3	22.7	25.1	27.5	30.0	1.6
		左	30	8.7	11.1	13.5	15.9	18.3	20.7	23.1	25.5	27.9	30.0	1.6
検査 5 (木円板)		右	30	6.3	8.4	10.5	12.6	14.7	16.8	18.8	21.0	23.1	30.0	1.4
		左	30	7.0	9.4	11.8	14.2	16.6	19.0	21.4	23.8	26.2	30.0	1.6
検査 6 (小立方)		右	30	7.2	9.3	11.4	13.5	15.6	17.7	19.8	21.9	24.0	30.0	1.4
		左	30	7.7	9.8	11.9	14.0	16.1	18.2	20.3	22.4	24.5	30.0	1.4
検査 7 (布)		右	30	6.1	8.2	10.3	12.4	14.5	16.6	18.7	20.8	22.9	30.0	1.4
		左	30	6.8	9.2	11.6	14.0	16.4	18.8	21.2	23.6	26.0	30.0	1.6
検査 8 (金円板)		右	60	10.2	13.5	16.8	20.1	23.4	26.7	30.0	33.3	36.6	60.0	2.2
		左	60	11.7	15.9	20.1	24.3	28.5	32.7	36.9	41.1	45.3	60.0	2.8
検査 9 (小球)		右	60	12.4	17.5	22.6	27.7	32.8	37.9	43.0	48.1	53.2	60.0	3.4
		左	60	13.1	18.5	23.9	29.3	34.7	40.1	45.5	50.9	56.3	60.0	3.6
検査 10 (ピン)		右	70	15.4	21.1	26.8	32.5	38.2	43.9	49.6	55.3	61.0	70.0	3.8
		左	70	16.5	22.2	27.9	33.6	39.3	45.0	50.7	56.4	62.1	70.0	3.8

得点

検査者

右	得点	左
10 ×		10 ×
9 ×		9 ×
8 ×		8 ×
7 ×		7 ×
6 ×		6 ×
5 ×		5 ×
4 ×		4 ×
3 ×		3 ×
2 ×		2 ×
1 ×		1 ×
計		計

年齢階級別得点

年齢階級	最高	正常 平均	最低
3	85	57	28
4	93	71	49
5	100	85	71
6	100	91	78
7	100	95	90
8	100	97	90
9	100	98	94
10	100	99	95
11 ～ 13	100	99	96
14 ～ 19	100	100	98
20 ～ 29	100	100	99
30 ～ 39	100	100	98
40 ～ 49	100	99	96
50 ～ 59	100	98	92
60 ～ 69	100	96	88
70 ～ 79	100	90	75
80 以上	100	83	66

氏名　　　　　病名・障害名　　　　　男・女　　　　　年令　　　　　検査日

観察事項

2. タナベセラピーにおけるボトムアップ・アプローチ(指向型課題練習)

ボトムアップ・アプローチとは，介入前の面接で抽出した複数の目標課題の動作を，自宅でも繰り返し実施できるように指向した課題練習であり，リハビリテーション室内で行われる．例えば，片麻痺者が掲げた目標課題に必要な運動要素のうち，不足している運動要素に焦点をあてパフォーマンスを高める．

a．ボトムアップ・アプローチ時の課題選定

初日に行うボトムアップ・アプローチの課題選定は，介入前の面接で抽出された複数の目標動作のうち，比較的に達成容易な課題を選ぶ．また，1日に指向する目標課題数は2～3つが望ましいが，筋緊張が高く，徒手的アプローチに時間を要する場合などは，1課題のみ指向して課題練習を行う．ただし，手の操作性を高めておかなければ，いかなる課題動作もできなくなってしまう．特に手指の伸筋出力については，必ず治療を行うようにする．複数のボトムアップ・アプローチを選択する際は，片麻痺者が最も達成したいと望んでいる課題を優先にし，さらに運動要素が類似しないように配慮を行う．例えば，上肢の前方挙上を伴う課題，側方リーチ運動を伴う課題，手指の伸展が必要な課題など，運動要素が異なるものを選ぶ．なお，さまざまな運動要素が改善するにつれて難易度の高いボトムアップ・アプローチを選んでいく．

b．ボトムアップ・アプローチの質的段階づけ

多くの片麻痺者は，正常な運動パターンによりスムーズに課題が行えるようになりたいと要望するが，当初からまったく正常な動作まで達成させることは困難である．まずは，その課題ができたことに対する達成感を重視して多少の代償動作を許容した運動パターンの獲得を目指すように片麻痺者に説明し承認を得る．この代償動作とは，手関節や肘関節を強く屈曲させた異常パターンを許容して行うという意味ではない．例えば，電気のスイッチを操作する課題について人差し指だけを滑らかに伸展させてタイミングよくスイッチを押すことは，当初からは困難である．まずは，ある程度手指が屈曲した手の背面で押すなど，代替した動作で行うということである．

c．ボトムアップ・アプローチを行うために必要となる主な運動要素の確認

その課題を行ううえで，現在の片麻痺者の運動要素として何が足りないのかを確認する．例えば，電気のスイッチを操作する課題について，前腕回内70°以上，肘関節伸展−20°以上など，セラピストは課題に必要な運動要素を確認する必要がある．

d．ボトムアップ・アプローチの具体的な課題

運動要素を高めるのに適した課題を選ぶ．運動要素は，複数の要素を一つの練習できれば同時に行い，難しい場合は運動要素を分解して運動要素ごとに別々に練習をする．例えば，茶碗を保持する課題では，肘関節屈曲90°以上と前腕回外60～70°手関節背屈，30°程度，母指を含む手指の伸展，5 kg程度の把持力が運動要素として必要である．この場合，まずは前腕回外

第Ⅱ章　タナベセラピーのプログラムとは

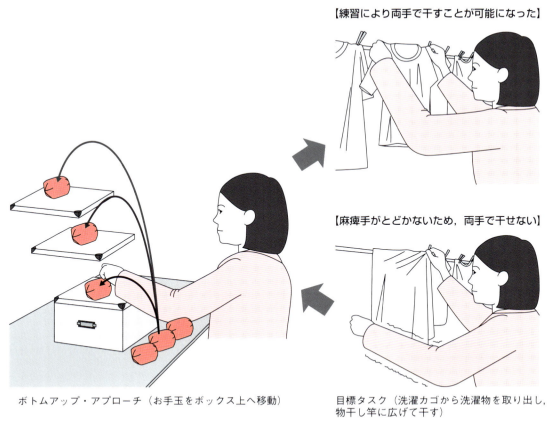

ボトムアップ・アプローチ（お手玉をボックス上へ移動）　　目標タスク（洗濯カゴから洗濯物を取り出し，物干し竿に広げて干す）

図1　上肢に対するボトムアップ・アプローチ（指向型課題練習）の実際

と手関節背屈を別々に練習した後に，手指の伸展要素を練習し，最後に茶碗を保持した状態で口元に維持するホールディングの練習を行って課題動作を仕上げる．一般的には難易度の高い要素を先に改善し，肘関節屈曲のように難易度の低い運動要素を最後に練習する．

e．難易度の設定

難易度の設定は，片麻痺者が操作可能で簡単すぎず難しすぎないように配慮する．1回の指向は30秒以内に終了できるようにするため，2～3回行い回数（個数）を決定する．例えば，3個の操作に15秒を要すれば個数は6個に設定する．難易度の初期設定は，片麻痺者に対象物をつかませて「努力しないでできるだけ前方で，高い位置で落としてください」などと指示し，最初の限界点を設定位置にする．次に，距離（肩関節屈曲と肘関節伸展），高さ（肩関節挙上），個数（耐久性）など難易度を上げ，最終的に達成させたい運動および耐久性を目指した位置に設定する．

f．上肢に対するボトムアップ・アプローチの実際（図1）

一般的に上肢のボトムアップ・アプローチは，椅子に座り机上において行うが，立位で行われる課題であれば立位で行ってもよい．痙性片麻痺者では，手指の屈筋群が短縮し手掌面の

39

皮膚も短縮していることが多く，初日から数日間は試行（トライアル）ごとに痙性・短縮を改善するための徒手的アプローチを頻回に行わなければならない．以下に，上肢のボトムアップ・アプローチの詳細を述べる．

①介入前の面接で抽出された複数の目標動作のうち，例えば「洗濯物を両手で干す」を選んでボトムアップ・アプローチを行う．

②片麻痺者のニーズは，洗濯カゴに入れた洗濯物を両手で取り出し，物干し竿に衣類やリネンなどを広げて干せるようになりたい．しかし，右手が物干し竿の高さ（肩の高さ）まで届かないことと，洗濯物を右手でうまく把持できないため，これらの動作ができるようになりたい．

③ボトムアップ・アプローチに必要な主な運動要素は，肩関節の前方挙上90°以上，母指対立位でのつかみ動作と離し動作である．

④ボトムアップ・アプローチの選択は，前方から側方への上肢挙上と手指の対立したつかみ離しの2つの運動要素について，同時または各要素を別々に改善していく．まずは，麻痺側上肢の挙上運動のみを改善する場合の例について示す．つまみが容易な小型のお手玉を手元に数個置き，そのお手玉を麻痺手でつかんで，机上に置かれたボックス上に移動させる課題を行う．課題の初期設定として，片麻痺者にお手玉をつかませて「努力しないで，できるだけ前方，高い位置で落としてください」と告げる．お手玉を落とした手の位置をはじめのボックスの位置に設定する．次に段階づけ要素を決める．この課題では，距離（肩関節屈曲と肘関節伸展），高さ（肩関節の挙上），個数（耐久性）について段階づけができる．

⑤ボトムアップ・アプローチの設定は，片麻痺者が操作可能で簡単すぎず，難しすぎないように配慮する．1回の課題は30秒以内に終了できるようにする．そのため，2～3個から試して個数を決定する．なお，お手玉は手元の取りやすい場所に置く．

⑥課題の実施前に短縮筋の治療や筋緊張を調整し，必要に応じて促通などを速やかに行い，筋の出力を引き出しておく．この徒手的アプローチは，必ず課題前に行う．具体的な徒手的アプローチについては第Ⅲ章を参照してもらいたい．課題設定の難易度アップ（奥行，高さ，個数）は，随時行い，より奥に，より外側に，より高く，より個数を増すように進める．難易度を変更するたびに「最初は○cm，今は○cm」と変更点を片麻痺者に告げる．次に，麻痺手のつかみ離しについて練習をする．課題選択は，衣類を把握できるだけの十分な指の伸展と対立位でのつまみ動作が必要であるため，ゴルフボールまたはテニスボールなど球形のボールのつかみと離し課題を選択する．ボールを把握できるようになると，上肢の挙上角度をしだいに高く設定しボールのつかみと離し動作を繰り返し行う．2つの運動要素がいずれも改善されると，自己効力感をもたせるために，実際の場面を想定して空動作または見立て動作を繰り返し，「これなら自宅でもできるかもしれない」と思えるようになるまでボトムアップ・アプローチを繰り返す．もし短時間で終了し，さらに十分な時間があればまったく異なる運動要素を要する目標課題を選び練習を行う．

第Ⅱ章　タナベセラピーのプログラムとは

📋 *Clinical Hint*

本人にとって高いハードルの課題ができるようになりたいと希望されたらどうする？

　本人にとって意義がある課題の場合，難易度が高くとも補助（アシストハンドリング）をしながら繰り返して行うべきである．課題は，本人にとって特に再獲得したい活動のほうが積極的に取り組むことが多い．例えば当初，達成することは不可能と思っていた自動車のレバー操作課題が，上肢をハンドリングして繰り返し行った結果，2週間後にできるようになった事例もあるので，高いハードルでも行うべきである．

---

g．下肢に対するボトムアップ・アプローチの実際

　下肢のボトムアップ・アプローチは，上肢のような課題を指向した練習とは異なり，まずは歩容を安定させることから始める．一般的には，主に徒手的な方法によりロッカー機能を用いた交互振り出し歩行ができるようにアプローチを行う．例えば，片麻痺者特有のアライメント不良を改善し，筋緊張を正常化しながら，麻痺側下肢が歩行立脚後期に十分な股関節の伸展が出現し，振り出しはまっすぐにリラックスして行われ，踵からの接地ができるようにしていく．なお，詳細は第Ⅳ章を参照いただきたい．

　歩容と立位バランスが安定すると，個々のホープ・ニーズに対する課題を指向した具体的場面を想定した練習を行っていく．例えば，駅のホームから電車に乗り降りする動作や，横断歩道を渡る課題，スーパーマーケットで買い物をする課題などを達成するために，平地歩行以外の諸機能を高めるための練習を行う．下肢の場合，医療施設内での機能回復に成功しても，屋外の公共施設に機能回復を活かした動作ができるとは限らず，まったく役に立たないことも多い．片麻痺者の屋外移動は，恐怖の連続であり，向かってくる自転車や走り迫る子ども，電車とホームの隙間，交通量の多い横断歩道など，ボトムアップ・アプローチよりも家族と同伴で行われるトップダウン・アプローチがとても重要になることが多い．そのため歩容が改善されたら，屋外での移動を伴うチャレンジ課題が繰り返し実践できることに視点を転じ家族指導に時間をかけるほうが効果的である．

3. タナベセラピーにおけるトップダウン・アプローチ（チャレンジ課題）

　トップダウン・アプローチは，医療施設から自宅などに帰り，麻痺手を用いてさまざまな活動の動作に主体的に取り組む課題である．トップダウン・アプローチは，医療施設において1日10項目をセラピストとともに決める．課題の内容は毎日変えてもよいが，リーチ課題ばかりを選んでしまうなど運動要素が偏らないように，前腕の回内・回外課題，手指の操作性を要する課題など多岐にわたり選択する．トップダウン・アプローチの選択は，指向型課題練習で指向していた課題動作のほかに，その日に改善できた運動要素をもってチャレンジできそうな課題を選定する．例えば，その日のボトムアップ・アプローチにおいて前上方にある洗濯物を

41

取り込むことを課題とした場合，前上方へのリーチができるように肘関節伸展と肩関節屈曲を促通させる練習を行う．そして，トップダウン・アプローチでは洗濯物を取り込む課題に合わせて，電気のスイッチを操作する，窓の上面を拭く課題を含め練習を行う．

> **📋 Clinical Hint**
> **屋外の歩行課題を安全に行う方法は**
>
> 　歩行の場合，リハビリテーション室で行う平地歩行と屋外での歩行とは，難易度がかなり異なる．例えば，平地で正常な歩行パターンで歩くことができても，人や自転車が行き来する歩道を歩くこと，エスカレータに乗り降りすること，横断歩道を渡ることなど，常に突き飛ばされる恐怖感，転倒に対する恐怖感，時間内に渡りきれなかったことに対する恐怖感など屋外での歩行は恐怖感との戦いとなる．したがって場面練習を繰り返し，転倒なく行うことができた経験を積み重ねることで恐怖感を克服し，屋外歩行へと進めていく．
>
>
>
> さまざまな歩行課題の場面

4 介入後のモニタリング

　介入後のフォローアップ期に行われるモニタリングは，麻痺肢の実生活場面での使用が習慣化することを目的に行われる．介入期に麻痺側上肢・手指あるいは正常な歩容でのさまざまな移動の実践が積極的にできていても，終了後に片麻痺者をモニターしないでいると多くの場合，再び麻痺肢の未使用や健側優位な異常パターンでの動作，そして不活発な生活に戻ってしまう．行動変容が確立して他者の促しがなくても行動化できるまでに，一般的には半年が必要とされている[2]．医療施設内でセラピストが行う介入後のモニタリングは，月 1 回 1～2 単位で 20～40 分程度，①課題に対する取り組みの確認，②セルフモニタリングおよびレポートの確認と聴取，③各種機能評価を実施する．

第Ⅱ章　タナベセラピーのプログラムとは

Clinical Hint

脳の損傷部位によって回復の可能性は変わる

　一般的には片麻痺者の機能回復は，良好が約20%，中等度は約50%，不良は約30%といわれている．ただし，病巣部位でみた場合は，大脳基底核や放線冠，内包後脚後部が障害されると予後は不良である．タナベセラピーでも同じことがいえるが，病巣部位が大脳基底核や放線冠，内包後脚後部であっても手指以外の肩，肘，前腕に関しては回復が可能である．

Clinical Hint

認知症や知的障害者でも適応可能か？

　認知症や知的障害がある人は，トップダウン・アプローチである生活動作の実践が持続しないため，脳の可塑的変化に必要である刺激が不足する．そのため，本アプローチを行うことは不可能である．しかし，付き添い者の促しが継続的に可能である場合は，効果が期待できるが，現実上は難しいと考えられる．

Clinical Hint

子どもの場合は，何歳から適応可能か？

　経験的に10歳以上であれば，成人のプログラムと同じ方法で可能である．それ以下の年齢の場合は，プログラムの目的を理解できないため，両親の補助によりプログラムを実践することで，回復が可能である．また，遊びを通じて行うと非常に効果的である．ただし，本アプローチは麻痺肢を使用して行うことが原則であり，特に子どもの場合は健側肢を多用する傾向があるので，必ず麻痺肢を使用するよう注意を促す必要がある．

文献

1) 金子　翼（編）：簡易上肢機能検査（STEF：Simple Test for Evaluating Hand Function）―検査者の手引．（www.sakaimed.info/product_manual/dl/eval/sot-3000.pdf）2016年7月20日閲覧

2) Page SJ, et al：Modified constraint-induced therapy in chronic stroke：results of a single-blinded randomized controlled trial. *Phys Ther* **88**：333-40, 2008

3) Prochaska JO, et al：The transtheoretical model of health behavior change. *Am J Health Promot* **12**：38-48：1997

第Ⅲ章
タナベセラピーの実際①
―上肢ボトムアップ・アプローチ

第**1**節
上肢ボトムアップ・アプローチとは

1 上肢ボトムアップ・アプローチ

　上肢ボトムアップ・アプローチは，医療施設内で特定の上肢課題動作ができるようになることを目標に，その課題動作を指向した練習（指向型課題練習）を行うことである．具体的には，上肢ボトムアップ・アプローチはセラピストが直接介入するボトムアップ・アプローチであるが，セラピストが常時介入できない場合は，セルフトレーニングによる上肢ボトムアップ・アプローチも併用して行う．どちらの場合においても，課題の難易度設定を行い制限時間内に実施できた課題数を記録するなど，片麻痺者が運動要素の改善を実感できるように設定する．上肢ボトムアップ・アプローチは，セラピストが常にモニタリングしている環境下で行わなければ片麻痺者の気概を喚起できず集中したトレーニングにならない．なお，本書では指向型課題練習（動作の達成ができるように指向した練習をいう）を用いたアプローチをボトムアップ・アプローチ，チャレンジ課題（自宅などで麻痺肢を用いて取り組む実践的な課題・練習をいう）を用いたアプローチをトップダウン・アプローチとする．

> ### 📋 *Clinical Hint*
> 　特定の動作を指向せずに麻痺した上肢や下肢をよくするための練習のみでは，なぜよくないのか？
>
> 　目標課題を指向しなくても一時的に機能回復させることは可能である．しかし，リハビリテーション室で一時的によくなっても家に帰れば麻痺した上肢や下肢を使えるようにはならず，翌日にはその機能も元通りになる．そこで帰宅後，実際に麻痺した上肢を使って課題動作を行うと，機能回復の変化について本人自身が実感でき，繰り返しその動作を行うきっかけとなる．

2 上肢ボトムアップ・アプローチの実際

1. 肩関節屈曲の要素を高める方法

　介入前の面接での結果，片麻痺者は肩の高さにある電気のスイッチを麻痺手で操作できるよ

第Ⅲ章　タナベセラピーの実際①―上肢ボトムアップ・アプローチ

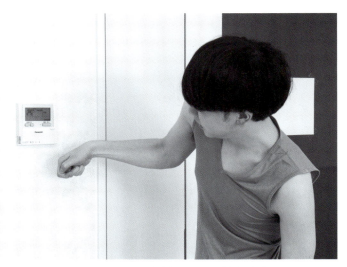

図1　肩関節屈曲の運動制限がある片麻痺者

うになりたいことがわかった（図1）．この活動に必要な具体的な運動要素は，肩関節屈曲80°と肘関節伸展−20°，そして定位してスイッチを押すためのホールディング能力である．これらの運動能力を高める方法として，次の上肢ボトムアップ・アプローチを行う．麻痺手でお手玉をボックスの上に移動させる課題を練習する（図2）．はじめは，容易にできるボックスの高さから開始し，しだいに高さを上げ，段階づけを行う．最終的に，ボックスの高さをスイッチ操作に必要な位置まで上げ，お手玉を移動させる．それにより，片麻痺者は麻痺手で電気のスイッチ操作が可能となる（図3）．

> **Clinical Hint**
> **片麻痺者に目標課題を認識させる有効な手段**
>
> 　机上課題練習の合間に，試行した実際の課題を行わせると，目標に近づいていることが片麻痺者にも理解でき，またそれにより自宅での麻痺肢の使い方もわかる．何度でも述べるが，ここでの課題は，自宅での生活動作を想定したものであるので，時間があれば実際に行うことを勧める．

2. 前腕回内の要素を高める方法

　介入前の面接での結果，片麻痺者はパソコンのキーボード操作において麻痺側の前腕を完全に回内した位置で操作できるようになりたいことがわかった（図4）．この活動に必要な具体的な運動要素は，前腕回内80°である．この運動能力を高める方法として，次の上肢ボトムアップ・アプローチを行う．麻痺側の前腕を回外にして輪投げを把握する．そして，前腕回内させながら輪投げをポールに入れる課題練習をする（図5）．はじめは，容易にできるポールの角度から開始し，しだいに角度を上げ，段階づけを行う．最終的に，キーボード操作に必要な前腕

第1節　ボトムアップ・アプローチについて

a. 初回設定

b. 高さを1段上げる

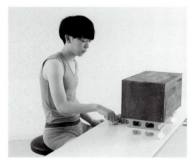  

c. 高さを2段上げる

図2　肩関節屈曲の要素を高める練習

①お手玉をボックスの上に移動させる課題を選択．初期のボックス位置は，電気のスイッチ設置位置に見立てた箇所までリーチさせ，代償動作がなくリーチした時の手の位置（奥行き，方向，高さ）がボックス上面にくるように設定する

②段階づけとして，ボックス上面の位置を，距離（奥行き），方向（角度），高さ，の要素ごとにステップアップさせていく．また，耐久性を高めるためにボールの個数を増していく

回内80°の位置までポールの角度を上げる．それにより，片麻痺者は麻痺手でキーボード操作が肘を上げることがなく容易に可能となる（図6）．

3. 前腕回外の要素を高める方法

介入前の面接での結果，片麻痺者は両手で顔を洗いたいことがわかった．この活動に必要な

第Ⅲ章　タナベセラピーの実際①―上肢ボトムアップ・アプローチ

図3　肩関節屈曲の運動制限が改善した片麻痺者

上肢機能が改善してくると，指向する課題を試み，課題達成に近づいていることを確認する．また，実際の動作（間接的な動作）を試みることで，改善させる必要のある新たな運動要素を見つけることができる

図4　前腕回内に運動制限がある片麻痺者

具体的な運動要素は，前腕回外80°である．この運動能力を高める方法として，次の上肢ボトムアップ・アプローチを行う．麻痺側の手指に伸展スプリントを装着し，ボードに手指があたるまで前腕を回外させる課題練習をする（図7）．はじめは，容易に前腕回外ができる角度にボードを置き，しだいに角度を上げ，段階づけを行う．最終的に，両手で顔を洗える動作に必要な前腕回外80°の位置までボードの角度を上げる．それにより，片麻痺者は両手で顔を洗えることが容易に可能となる．

第1節　ボトムアップ・アプローチについて

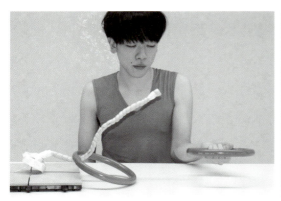
a. 開始肢位

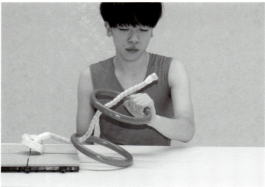
b. 終了肢位

c. 段階づけした場合

図5　前腕回内の要素を高める練習

　脇を閉めて肘関節を屈曲90°および前腕を回外した肢位で輪を握り，前腕の回内運動でポールに輪を通す．この際，肩関節の外転や外旋の代償動作が出現しないように注意する．なお，段階づけすることにより前腕回内の要素を高めることができる

図6　前腕回内の運動制限が改善した片麻痺者

第Ⅲ章　タナベセラピーの実際①―上肢ボトムアップ・アプローチ

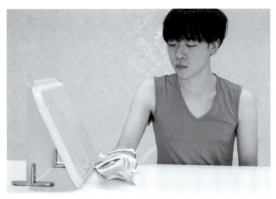 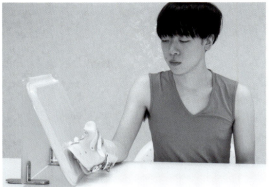

a. 開始肢位　　　　　　　　　　　　　　　　　b. 終了肢位

図7　前腕回外の要素を高める練習

　前腕を机上に接地させたまま，ボードに接触るまで回旋させる．段階づけする際は，ボードの角度を変える．

4. 手関節背屈の要素を高める方法

　介入前の面接での結果，片麻痺者は麻痺手で茶碗を持ちたいことがわかった．この活動に必要な具体的な運動要素は，手関節背屈30°である．この運動能力を高める方法として，次の上肢ボトムアップ・アプローチを行う．麻痺手でボールを前腕回内により把持し，前方に置かれた容器の中に手関節を背屈させながら入れる課題練習をする（図8a, b）．その際，容器の手前にリングを設置し，そのリングの中に手を通してボールを容器に入れることで，上肢の代償動作を防ぐことができる．はじめは，容易に手関節背屈ができる位置にリングを置き，しだいにリングの高さを下げ，段階づけを行う（図8c）．最終的に，お茶碗の把持動作に必要な手関節背屈30°となる位置までリングの高さを下げる．それにより，片麻痺者はお茶碗を把持することが可能となる．

5. 手指の把持（または伸展）動作を高める方法

　介入前の面接での結果，片麻痺者は小銭を麻痺側の手指で操作できるようになりたいことがわかった．この活動に必要な具体的な運動要素は，母指の対立と指尖つまみ動作である．これらの運動能力を高める方法として，次の上肢ボトムアップ・アプローチを行う．麻痺側の手指でクッション材に置かれた小銭をつかむ課題練習から開始する．しだいにクッション材を薄くし，段階づけを行う（図9）．最終的に，机上で小銭がつかむ練習をする．それにより，片麻痺者はスーパーなどのレジにおいて小銭を容易につかむことが可能となる．なお，手指の伸展については輪ゴムを全指の指尖に引っかけ，開く閉じるの課題練習を行うと可能となる（図10）．

第1節　ボトムアップ・アプローチについて

a. 開始肢位

b. 終了肢位

c. 段階づけした場合

図8　手関節背屈の要素を高める練習

机上に置かれたお手玉を麻痺手でつかみ，リングをくぐらせ後，手関節を背屈させて台の上にお手玉を置く．段階づけする際は，リングの高さを低くして，手関節の背屈角度を増やす

a. 段階①

b. 段階②

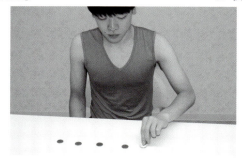
c. 段階③

図9　手指の把持動作を高める練習

はじめはクッション性の高い材質の上にコインを置き，麻痺側手指でコインを把持する．次にクッション性の低い材質，そして直接机上の上と段階づけする

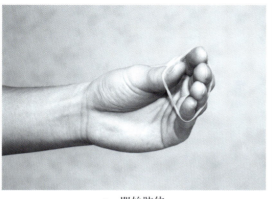
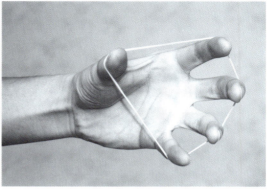

a. 開始肢位　　　　　　　　　　　　　　b. 終了肢位

図10　手指の伸展動作を高める練習

Clinical Hint
リングを使用した運動誘導（代償動作の制御）

　リーチ動作の際に，肩関節や体幹による代償動作がみられる場は，リングを使用して運動誘導を行う．右図は肩関節外旋の代償動作がでないように，リングで運動の軌跡を誘導している．なお，この運動誘導は左図のように手関節掌屈といった分離運動を引き出す場合にも用いることができる．

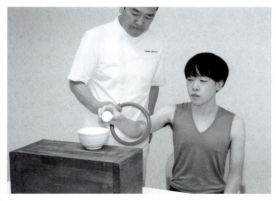
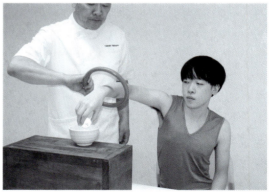

6. その他

　前述の方法を用いて，複合的な運動要素が必要な動作が可能となる．例えば，スプーン動作は手指の把持動作や手関節背屈，前腕の回内・回外などの要素を高める方法を組み合わせて行うとよい（図11）．

第1節　ボトムアップ・アプローチについて

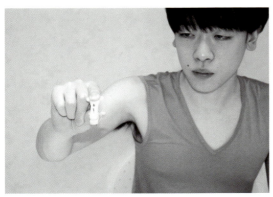
a．ピンチ力

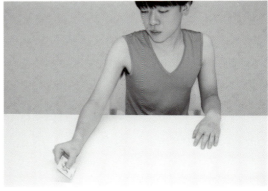
b．前腕回内

c．手関節の背屈

図11　複合的な運動要素を高める練習

> ### 📋 *Clinical Hint*
> **ピンチ力を養ううえでの一工夫**
>
> 　ピンチ力を養ううえで，洗濯バサミを用いられることが多いが，その際，バネの力が強く開くことができないことがある．そこで，バネを図のように左右に引っ張ってバネの力を弱らせると，容易に行いやすい．
>
>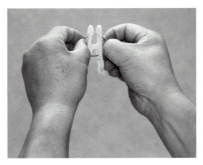

54

第Ⅲ章　タナベセラピーの実際①—上肢ボトムアップ・アプローチ

3　上肢ボトムアップ・アプローチのシート記入例 (表1)

　上肢ボトムアップ・アプローチのシートは，動作の質の改善経過や，複数の運動要素のうち，どの要素が高まり，あるいは改善していないのかが明確にわかるので必ず記入することを勧める．このシートは，セラピストのみでなく，片麻痺者やその家族も共有することで課題練習に対するモチベーションを高める効果がある．

表1　上肢ボトムアップ・アプローチのシートの記入例

目標　電気のスイッチ操作　　　　課題名：　ボールをボックス上へ移動　　参加者：　○×△ さん
必要な運動要素　肩関節屈曲80°, 肘関節伸展−20°（屈曲90°から）, いずれも手関節伸展0〜20°
実施日：9.10　　　第 3 日目　　　実施時間：10:00〜11:20　　セラピスト名：田邉浩司

回数	秒	高さ	奥行き	個数	コメント
1	27.4	5cm	25cm	7 個	肘屈筋痙性強い
2	26.2				体幹の代償が出現する
3	23.1				5回程度で指屈筋＋＋
4	22.4				
5	19.3				平均 =23.7
6	25.3	10cm			
7	22.1				
8	24.3				
9	20.5				体幹での代償がなくなる
10	18.6				平均 =22.2
11	25.3		30cm		
12	21.1				
13	20.3				
14	19.9				
15	17.0				平均 =20.7
16	20.5	20cm		10 個	
17	19.2				
18	18.1				
19	19.3				
20	16.1				平均 =19.1

　上肢ボトムアップ・アプローチの記録用紙には，このシートを用いる．様式は変えてもよいが，片麻痺者にもこのシートをみせるため，所要時間が短縮し動作の質が改善されていることなどが確認できるように配慮する

第1節　ボトムアップ・アプローチについて

> ### 📋 *Clinical Hint*
>
> **シェーピングの課題はタイムを計測されるため慌てることが多いが，それにより落すなどの失敗をした場合は，どう対処するか**
>
> 課題練習は成功体験を積み重ねることが大切である．落とした場合は，続けてください
> と声をかけ，ロスタイムはストップウォッチを一時停止にするなど失敗したと思わせない
> ように工夫することが重要である．

第2節
上肢ボトムアップ・アプローチを行うための徒手的テクニック

　片麻痺者に対しての介入時は，痙性筋など軟部組織の短縮が顕著であったり，低緊張のため筋の出力が不十分であることが多い．上肢ボトムアップ・アプローチを開始する時点では，短縮を改善して痙性を減弱させておき，正常な運動パターンで課題に取り組めるようにしなければならない．その前に，上肢に関わる重要な位置を占める体幹に対する徒手的テクニックを行う必要がある．そこで，以下に上肢ボトムアップ・アプローチを行うための徒手的テクニックを述べる．この徒手的テクニックは永続的に行わなければならないものではなく，しだいに痙性は現弱し，短縮もみられなくなっていくことを経験するはずである．

1　上肢ボトムアップ・アプローチのための体幹に対する徒手的テクニック

1. 片麻痺者特有の姿勢

　片麻痺者の多くが，頭部・胸部を常に屈曲させてうつむき，膝関節を軽く屈曲させて両足を横に開いた特徴的な姿勢をとっている（図1a）．この姿は，まるで高所で板の上を怯えながら渡る姿に似ている．立位動作や歩行をする時，麻痺側下肢の支えが十分ではなく，また自らの身体を瞬時にコントロールできないため，とにかく転倒しないようにと，恐る恐る身体を動かし

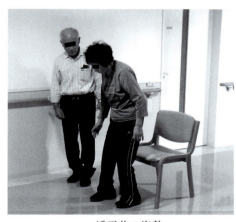
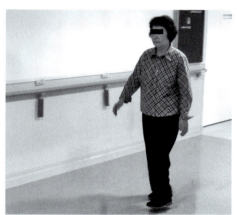

a. 矯正前の姿勢　　　　　　　　　　b. 矯正後の姿勢

図1　片麻痺者の姿勢矯正前後

ている．立ち上がると常にこの姿勢をとる片麻痺者は，身体各部位のアライメント不良と筋・腱など軟部組織に強い短縮を作り出し，正常な動作を阻害している．治療では，まず正常な動作を阻害している体幹のアライメント不良を改善させるところから始める．図1b は，体幹を20分程度矯正した後の姿勢である．片麻痺者の不良姿勢を矯正することは，一時的には可能であるが，常にこの姿勢を維持したまま立位活動や歩行を行うよう習慣化させることが必要である（第Ⅳ章を参照）．したがって，ここでは徒手的テクニックによる体幹の治療法を以下に述べていく．

📋 *Clinical Hint*

片麻痺者の姿勢特性と不良なアライメントについて

　頭頸部は，頸椎の生理的前弯がなく椎間関節の可動性は極度に小さい．そのため，頭部の回旋・伸展可動域が乏しく，下顎は前方に突出している．体幹（胸腰椎，胸郭）は屈曲し，大胸筋や肋間筋など胸郭前面の筋は短縮している．大胸筋の短縮は上腕骨の骨頭部を前方に偏位させている．図1a のように体幹を伸展させようと背面を上方に押しても脊柱は十分に伸展せず，また胸郭は肋間を拡張して広がろうとしない．股関節は腸腰筋と大腿四頭筋，特に大腿直筋が短縮している．股関節外旋筋や内転筋も短縮していることが多い．

---

2. 脊柱に対するアプローチ

　片麻痺者の多くは上部体幹と頸部に伸展制限があり，枕なしで背臥位をとると頭部が浮いてしまう（図2a）．図2b は，セラピストが徒手的に片麻痺者の脊柱を伸展している場面である．第4胸椎の位置にセラピストの握りこぶしを入れて，他方の手で肩を床面方向に押し下げて胸郭前面を広げる．図2c のように枕などを背中に入れて，体幹と頸部を伸展方向にストレッチしても効果的である．なお，1分程度行うことで脊柱のアライメントは整う．

3. 頭頸部に対するアプローチ

　片麻痺者の頭頸部の可動域は，かなり制限されていることが多く，特に頭頸部の伸展と回旋は著しく制限されていることが多い．これら頭頸部の可動域制限は，振り返る動作や左右の空間の認識を阻害し，また上肢の挙上運動にも悪影響を及ぼす．治療では，まず肩甲骨の挙上と下制を繰り返し行い（図3），頸椎に起始部をもつ筋の短縮を改善させてから頸椎の牽引（図4）を入念に行う．そして，頸部を左右それぞれ最大可動域まで回旋しながら徒手により頸椎横突起を回旋方向に押してストレッチする（図5）．その後，頸椎の牽引を再度行うと椎間関節にみられた軟部組織の短縮が改善して，先ほどよりも頭部は伸長する．最後に枕のないベッドで背臥位となり，下顎を引き込んだ状態で後頭部がベッド上の床面に接地することを確認する．この方法は，最も迅速に頭頸部の短縮を改善させることができる．

第Ⅲ章　タナベセラピーの実際①―上肢ボトムアップ・アプローチ

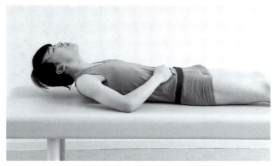

a. 上部体幹と頸部の伸展制限

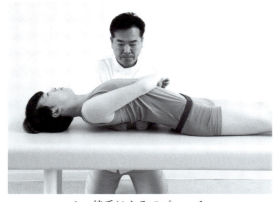

b. 徒手によるアプローチ

c. 枕を用いた方法

図2　片麻痺に対する脊柱のアプローチ

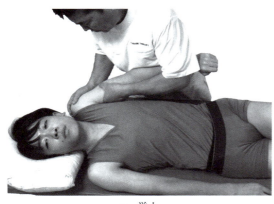

a. 挙上

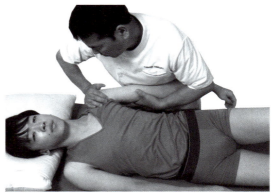

b. 下制

図3　肩甲骨の挙上・下制

4. 胸郭に対するアプローチ

　片麻痺者の肋間は，極度に短縮していることが多い．図6は，肋間を拡大させる手技であるが同時に大胸筋も伸長されるため，短時間に胸郭が拡大できる．セラピストは片麻痺者の麻痺側上肢を挙上位にしてしっかりと保持し，他方の手で第3肋間に母指と示指側面を添えて腰部方向へ押し下げる．同様に第4，5，6肋間と順に手の位置を置き換えて肋間を拡大させる．

59

第2節　上肢ボトムアップ・アプローチを行うための徒手的テクニック

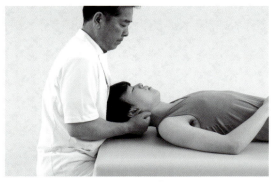
a. 開始肢位

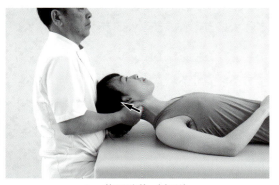
b. 終了肢位（牽引）

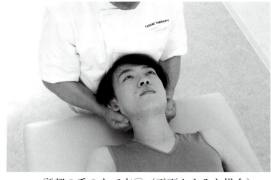
c. 頸部の手のあて方①（正面からみた場合）

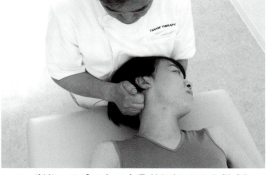
d. 頸部への手のあて方②（側面からみた場合）

図4　頸椎の牽引

頭部をセラピストの胸部に密着させたまま（a），セラピストの上体を後方に移動させて牽引する（b）．セラピストの握りこぶし中節骨部を後頸部にあて乳様突起に引っかけるようにして牽引する

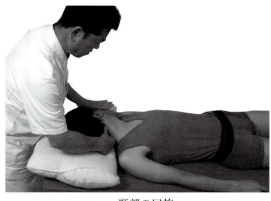
a. 頸部の回旋

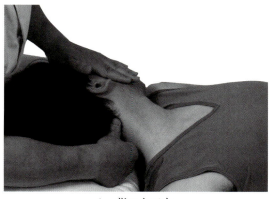
b. 指のあて方

図5　頸部の回旋可動域の拡大

60

第Ⅲ章　タナベセラピーの実際①―上肢ボトムアップ・アプローチ

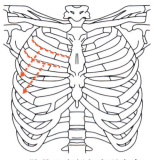

a. 肋骨の走行と牽引方向

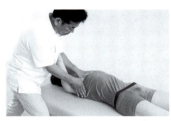

b. 開始肢位（dの側面）

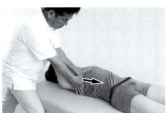

c. 終了肢位（eの側面）

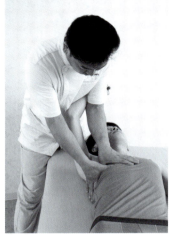

d. 開始肢位（bの正面）

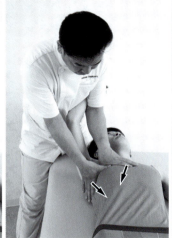

e. 終了肢位（bの正面）

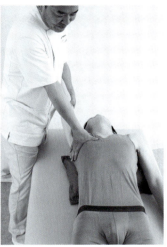

f. 枕を用いて胸郭拡大下に行う開始肢位

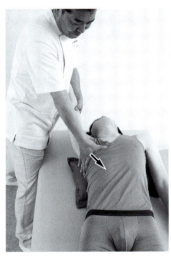

g. 枕を用いて胸郭拡大下に行う終了肢位

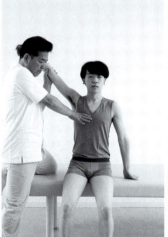

h. 座位での開始肢位

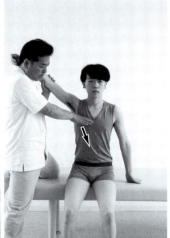

i. 座位での終了肢位

図6　胸郭のアプローチ

61

Clinical Hint
なぜ，片麻痺者は円背姿勢をとるのか？

片麻痺者特有の不良な立位姿勢は，筋力低下によると考えがちであるが，実は転倒の恐怖感が要因になっていることが多い．図1aのように，立位時や歩行時には常に支持基底面内に身体重心を収めようとする．そのため，片麻痺者はワイドベースに広げ，身体重心を低くした円背な姿勢をとっている．しかし，能力的には健常者と同じ動作がほぼ可能であるとうことを，セラピストは知っておく必要がある．

Clinical Hint
頸椎牽引のポイント

頭部の回旋運動制限やストレートネック（頸椎の生理的前弯30°以下）がみられるほど短縮した椎間関節では，図5のように後頭部を保持して牽引する．片麻痺者の場合，椎間関節を構成する筋や靱帯などは極度に短縮していることが多く，5 kg以上の力で牽引しなければ改善しない．正常では，牽引をすると椎間関節が伸長されて頭部の位置が2センチ程度引き出されるが，ほとんど頭部が引き出せない場合は，まず頭部を左右に最大の他動的関節可動域まで回旋してそれぞれ3分間保持した後に，再び牽引すると椎間関節は伸長される．

Clinical Hint
胸郭拡大のポイント

胸郭を拡大する際は，片麻痺者の呼気運動に合わせた方向に押すとよい．うまくいかない場合は，「吸って，吐いて」とセラピストが誘導するとスムーズに行いやすい．また，運動の方向がわからない場合は，自分の肋骨の動きで確認しから行うとよい．なお，注意点として高齢者は骨折しやすいので，圧迫を加える際には急激に行わず，ゆっくりと行う必要がある．

Clinical Hint
体幹に対するアプローチは，どのくらい行うのか？

脊柱では，背臥位の状態で枕がなく後頭部が床面に接地し，かつ下顎が前突していいなければ終了とする．頭頸部では，頸椎位を牽引した際に約1 cm伸長できれば終了とする．胸郭では，肩関節の屈曲角度が15°以上拡大していれば終了とする．

第Ⅲ章　タナベセラピーの実際①―上肢ボトムアップ・アプローチ

2 上肢ボトムアップ・アプローチにおける徒手的テクニックの実際

1. 肩関節に対するアプローチ

　正常な肩の機構は，上腕骨頭が肩甲骨の関節窩に接合しており，肩甲骨は筋の張力により胸郭上で翼状に浮き上がらずに接している時に機能する．上肢の挙上，特に肩関節の屈曲60°以下の運動では，肩甲骨の上方回旋はほとんどなく，胸郭にしっかりと固定されていることにより肩甲上腕関節のみの運動が可能になる（セッティングフェイズ）．しかし，片麻痺者の多くは肩甲骨周囲筋の低緊張により肩甲骨が胸郭に安定してとどまることができない．不安定な肩甲骨から下垂した上肢は，肩甲骨を土台として挙上することができないため，挙上運動は肩甲上腕関節を肩周囲筋で一塊にして固め，運動の初期から体幹による代償動作を伴いながら肩甲骨ごと上肢を挙上・上方回旋させて行われることが多い．この代償動作が繰り返されてきた片麻痺者の肩関節は，大胸筋や肩関節の外旋筋群が過剰な筋緊張を示し筋も短縮している．これが常態化すると肩甲上腕関節の分離した運動はますますできなくなる（表1）．

　治療では，まず肩関節のアライメント評価を行う．その後，肩関節周囲筋の痙性を減弱させ短縮を改善し，片麻痺者がとる代償戦略を起こさせないようにする．そして，正常な肩甲上腕関節による分離した運動を繰り返し行わせることにより正常運動を学習させていく．

a．麻痺側肩関節のアライメント評価

　片麻痺者の多くは，大胸筋の筋緊張の亢進と短縮により上腕骨頭が引っ張られ，やや内旋に

表1　肩関節運動に関与する筋（文献5）より引用）

筋名		内転	外転	内旋	外旋
大胸筋	鎖骨部	○		○	
	胸肋部	○		○	
	腹部	○		○	
広背筋		○		○	
三角筋	前部			○	
	中部		○		○
	後部				○
小円筋		●			○
棘上筋			●		
棘下筋					●
肩甲下筋		○		○	
大円筋		○		○	
烏口腕筋		●			

　肩関節運動に作用する筋の一覧である．グレー枠内は，片麻痺者にみられる短縮筋を表す．肩関節運動に関与する筋のうち，片麻痺者は経験上，大胸筋，広背筋，三角筋，小円筋，肩甲下筋，大円筋において短縮が観察されることが多い．短縮筋の分布から片麻痺者の上肢ポジションは，肩甲上腕関節を内転・内旋位で固めた状態で外転筋により肩甲骨ごと上肢をやや外転させた肢位をとっていることがうかがえる．本来，肩甲骨は上肢を動かすための土台となるために，胸郭にしっかりと固定されている．しかし片麻痺者の場合，肩甲骨の固定性に関与する筋が十分に機能しておらず翼状肩甲を呈していることが多い．そのため片麻痺者が上肢を動かそうとする時は，肩甲上腕関節を肩周囲筋の同時収縮により固め，肩甲骨・上肢を一対にした状態で運動するような戦略をとっているのである

第2節　上肢ボトムアップ・アプローチを行うための徒手的テクニック

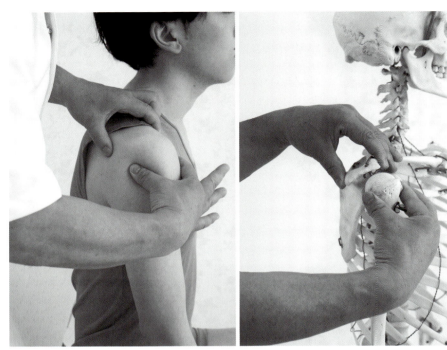

a．大胸筋の短縮により上腕骨頭が前方に偏位している

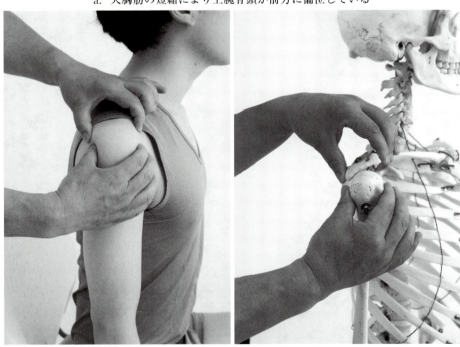

b．正常なアライメント

図7　肩関節のアライメント評価

前方偏位している．そのため肩関節のアライメント評価では，肩甲骨関節窩に対する上腕骨頭の位置や大胸筋，外旋筋群の筋緊張と短縮について評価する（図7）．

第Ⅲ章　タナベセラピーの実際①—上肢ボトムアップ・アプローチ

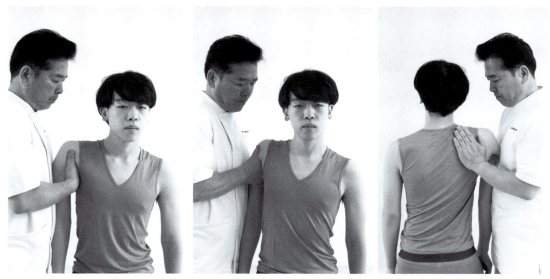

a. 片手を腋窩前方から入れ他方の手で肩甲骨を固定
b. 上腕骨頭を外旋しながら後方へ押し込む
c. 肩甲骨の固定方法

図8　肩甲上腕関節の骨性アライメント調整①（第Ⅰ法）

b．肩甲上腕関節の骨性アライメント調整

　過緊張を呈する大胸筋によって上腕骨頭が前方かつ内旋方向に引っ張られて偏位している場合，上肢に対するさまざまなアプローチを行う前に，事前に肩甲上腕関節を正しい関節の位置に矯正しておかなければならない．矯正方法は，片麻痺者の肩甲骨を背面から固定しておき，片方の手で腋窩前縁から手を入れて上腕骨頭を捉え，わずかに外旋させながら後方に3～4回軽く押し込むと正しい関節位置に矯正できる（図8，9）．その後，ボトムアップ・アプローチなどを正常運動により行うと再びアライメントが前方に偏位することはない．図10は実際に片麻痺者に対して行われた場面である．

2. 肩関節周囲筋の痙性減弱と短縮の改善

　麻痺側の肩関節周囲筋である胸筋群や外旋筋群，そして肩関節周囲の軟部組織は恒常化した高緊張により短縮していることが多い．肩関節周囲筋の高緊張・短縮に対しては，両手で片麻痺者の腋窩を保持して上下に小刻みに震動（バイブレーション）を加えると，ある程度は減弱・

> **Clinical Hint**
> **肩甲上腕関節の骨性アライメント調整は，どのくらい行うのか？**
>
> 　鎖骨と肩甲棘との間に，上腕骨頭が位置すれば終了となる．ただし，圧迫が弱いとアライメント調整ができないので注意する．

第2節　上肢ボトムアップ・アプローチを行うための徒手的テクニック

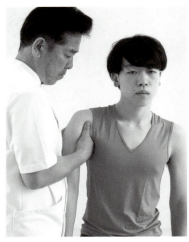
a. 開始肢位の前面

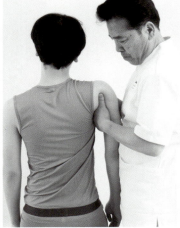
b. 開始肢位の後面

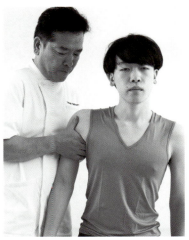
c. 上腕骨頭を外旋させる

図9　肩甲上腕関節の骨性アライメント調整②（第Ⅱ法）

　小柄なセラピストが大柄な片麻痺者に第Ⅰ法で行うと上肢の重みを支えきれないことが多く，この場合は第Ⅱ法を用いる．開始肢位では，腋窩の前縁および後縁から手を入れ上腕骨頭を左右の母指で挟み込む（a, b）．その後，上腕骨頭を外旋してアライメントを整える（c）．上腕はセラピストの胸部に密着させて固定し，セラピストの体重移動により行うことで大柄な片麻痺者にも対応することができる

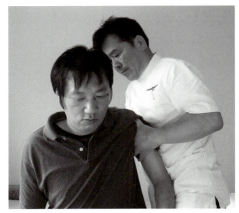
a. アライメント調整

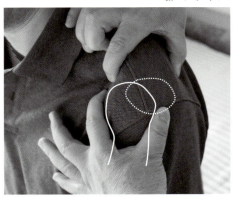
b. 治療前

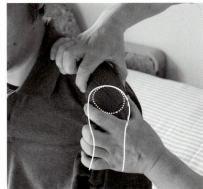
c. 治療後

図10　実際の片麻痺者に対する肩甲上腕関節の骨性アライメント調整

第Ⅲ章　タナベセラピーの実際①―上肢ボトムアップ・アプローチ

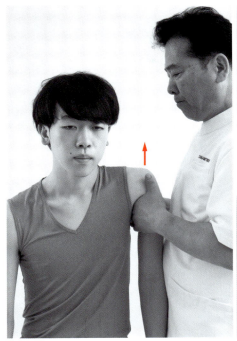

a. 上腕骨頭の挙上　　　　　　　　b. 脱力による上腕骨頭の下制

図11　腋窩へのバイブレーション

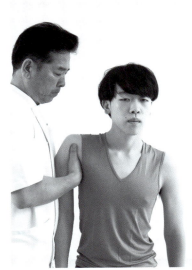 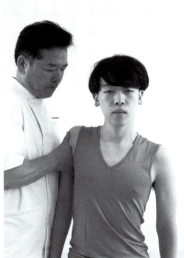 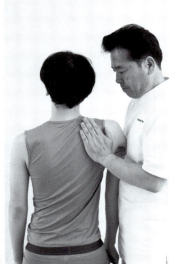

a. 片手を腋窩前方から入れ他方の　b. 上腕骨頭を大きく内旋・外旋さ　c. 肩甲骨の固定
　　手で肩甲骨を固定　　　　　　　　　せる

図12　肩関節周囲筋の抑制モビライゼーション

改善できる（図11）．また一方の手で肩甲骨を固定し，他方の手で片麻痺者の腋窩前縁に手を入れて上腕骨頭を前後に大きくモビライゼーションすることにより，さらに減弱・改善することができる（図12）．別法として，特に肩甲上腕関節の外旋に作用する棘上筋，棘下筋，大円

第2節　上肢ボトムアップ・アプローチを行うための徒手的テクニック

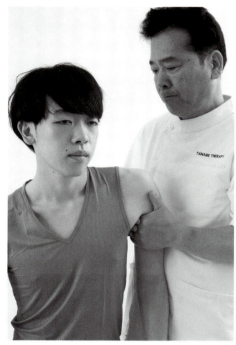

a．開始肢位　　　　　　　　　　　　b．上腕骨頭の外旋

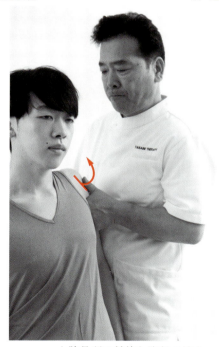

c．上腕骨頭の外旋と胸郭の拡大

図13　肩関節外旋筋群の抑制モビライゼーション

筋などに短縮がみられる場合には，セラピストの両手で片麻痺者の腋窩を左右から挟み込み，上腕骨頭部を内旋方向にモビライゼーションすることで改善させることができる（図13）．最

第Ⅲ章　タナベセラピーの実際①—上肢ボトムアップ・アプローチ

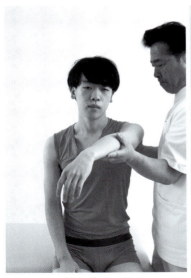  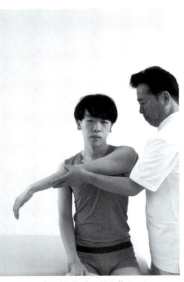

　　a．開始肢位の前面　　　　　　　b．開始肢位の後面　　　　　c．肩関節を水平屈曲させる

図14　肩関節外旋筋群のアプローチ

終的には肩関節外旋筋群にストレッチを加えると十分な減弱・改善の効果が期待できる（図14）．なお，肩関節周囲筋の短縮などを改善すると片麻痺者は「腕が軽くなった」と話すことが多い．

3．大胸筋と広背筋に対するアプローチ

　大胸筋・広背筋など筋腹が直接把持できる筋に対しては，筋腹全体を持ち上げると一度に短縮が改善できる（図15）．この時，骨の付着部が過度な牽引により損傷しないように付着部付近を押さえて行うとよい（図16a）．図16bは，表層の筋膜に対して横断的にマッサージを加えている場面である．過剰な筋緊張を呈する部分は，筋膜も硬く触れる（筋膜の収束）ので触診して固い部分に手をおくようにするとよい．セラピストの指先指腹をそろえて行うと短時間に筋緊張を減弱できる．局部のみの過緊張部分には1〜2本の指腹で横断的マッサージを行う（図16c）．

　生活期の片麻痺者などでは，深層筋が固く短縮していることがあり，表層の筋膜リリースや横断的マッサージでは改善されないことがある．そのような場合は，筋腹を左右の手で交互に相対方向に押し引きする抑性モビライゼーションにより筋の粘断性を回復させる．その際，押し引きする箇所をしだいにずらし，波打つように筋を伸ばしていく（図16d）．

4．上肢ボトムアップ・アプローチのハンドリング法

　上肢の挙上運動は，肩甲上腕関節をまたぐ肩関節周囲筋の短縮と過緊張を改善させると，本来の運動である肩甲上腕関節の分離した動きにより上肢の挙上が行われるようになる．しか

69

第2節　上肢ボトムアップ・アプローチを行うための徒手的テクニック

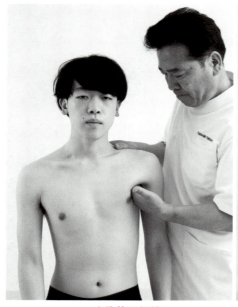
a．大胸筋の把持

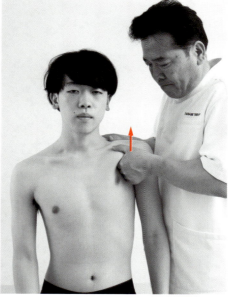
b．大胸筋を持ち上げる

図15　大胸筋のアプローチ

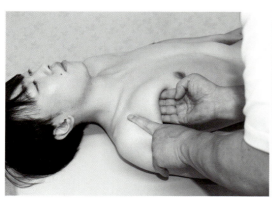
a．筋腹全体をすくい上げる方法

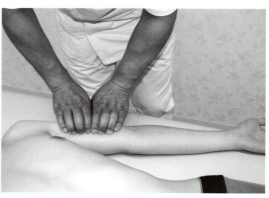
b．横断的マッサージ

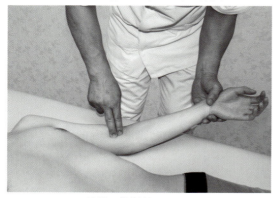
c．局部の横断的マッサージ

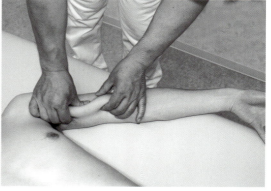
d．抑性モビライゼーション

図16　大胸筋の短縮に対する各種治療法

第Ⅲ章　タナベセラピーの実際①―上肢ボトムアップ・アプローチ

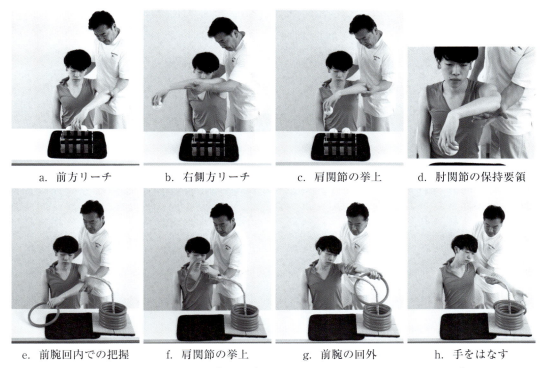

　　a．前方リーチ　　　　b．右側方リーチ　　　c．肩関節の挙上　　　d．肘関節の保持要領

　e．前腕回内での把握　　f．肩関節の挙上　　　　g．前腕の回外　　　　h．手をはなす

図17　上肢ボトムアップ・アプローチにおける肘関節のハンドリング

　し，肩甲骨を胸郭に固定する筋群の低緊張により上肢は見た目において以前よりも挙上できなくなる．片麻痺者は，「腕は軽くなったけれど上がらなくなった」と話すことが多い．そのため短縮改善や筋性アライメントを整えた後は，セラピストが上肢の重みを軽減させるためのハンドリングを加えながら行う必要がある．例えば，机上でのボトムアップ・アプローチは，はじめは上肢が上がりづらく，再び代償パターンを引き起こしてしまうが，肘関節と腋窩のハンドリングより粘り強く肩甲上腕関節の分離した動きを繰り返すことでセッティングフェイズの機能が再獲得される．経験的にはボトムアップ・アプローチを10回程度行えば，バンドリングを加えなくても自重に耐えて上肢の挙上が正常な動きとしてできるようになる．以下に，肘関節と腋窩のハンドリングについて述べる．

a．肘関節のハンドリング（図17）

　肘関節のハンドリングでは，腕の重さを補助するほか，肘関節の伸展や屈曲，そして前腕の回内や回外の各運動を補助する．肩関節の挙上や体幹の回旋などの代償動作が出現する場合は，セラピストの片手で体幹や肩甲骨を軽く固定して行う．上肢の重みを軽減するための補助の程度は，小さすぎると代償が出現してしまうため，代償動作が出現しない範囲で補助する．ハンドリングの際，肘関節の保持要領は図17dのようにセラピストの手掌中央を片麻痺者の肘頭下方部におき，手根部で上腕遠位を，指先で前腕近位部を保持する．肘関節伸展の補助は，片麻痺者の上腕三頭筋の筋腹を圧迫するか肘頭を押す（図17a〜c）．肘関節屈曲の補助は，セラピストの手指を屈曲させながら前腕を肘関節屈曲方向に誘導する．前腕回外の補助は，片麻

第2節　上肢ボトムアップ・アプローチを行うための徒手的テクニック

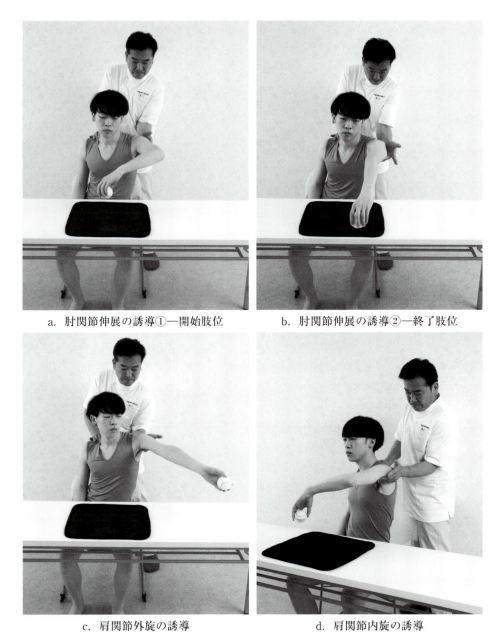

a．肘関節伸展の誘導①—開始肢位　　　b．肘関節伸展の誘導②—終了肢位

c．肩関節外旋の誘導　　　d．肩関節内旋の誘導

図18　腋窩のハンドリング

痺者の前腕に対して皮膚を前腕の回外方向にゆっくり押し出して移動させる（図17e〜g）．前腕回内の補助は，前腕回外の場合と反対にセラピストの手指で前腕の反膚を手前に引き込みながら前腕を回内させる．上肢ボトムアップ・アプローチのハンドリングでは，できるだけ他動的に動かされている感覚をなくし，自動運動で行っているように行わなければならない．そのため，補助は努めて少なくして行うことが重要となる．

第Ⅲ章　タナベセラピーの実際①―上肢ボトムアップ・アプローチ

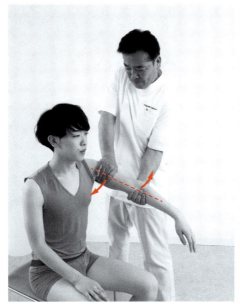 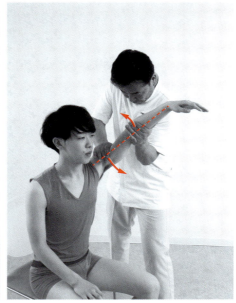

a．開始肢位　　　　　　　　　　　　b．終了肢位

図19　座位で行う肩関節屈筋群の促通法

b．腋窩のハンドリング（図18）

　腋窩を保持してのハンドリングは，肘関節のハンドリングよりも他動的に補助されている感覚が少なく，また肩甲上腕関節の分離した動きを引き出しやすい．方法は，図18d のようにセラピストは腋窩外側縁を保持して腕の重みを補助したり，リーチ方向の誘導や肩関節外転の防止を行う．図18a，b は，腋窩外側の上腕三頭筋に圧迫を加えて肘関節伸展を補助している場面である．図18c は，肩関節外旋を補助している場面である．皮膚をすくい上げるようにして肩関節外旋運動を補助するとよい．

5．肩関節屈筋群の促通法

　片麻痺者が上肢を挙上しようとすると，挙上筋群の筋出力が不十分なため，屈筋群の共同運動パターンとした動きとなってしまう．そのため肩関節屈筋の促通を行うことで，挙上筋群の筋出力が上がり，共同運動パターンではない本来の分離した運動が可能となる．以下に，その促通法について述べる．

　座位で行う肩関節屈筋の促通法の開始肢位は，図19a のように片方の手は上腕中央部を，他方の手は肘におく．まず，上腕中央部を上方から下方に軽く圧迫を加えると同時に，「上げて」と掛け声をかけ，上腕中央部においた手で最大抵抗を加える．これに合わせて，片麻痺者が上肢を上げようと努力すると，セラピストは肩関節挙上筋の主動作筋である三角筋前部線維，烏口腕筋の収縮を感じる．この時に感じられる挙上筋群の筋緊張が抜けないように圧迫を加えながら抵抗を少し増やし，さらなる筋収縮を誘発しながら図19b の高さまで誘導する．筋緊張が

73

第2節　上肢ボトムアップ・アプローチを行うための徒手的テクニック

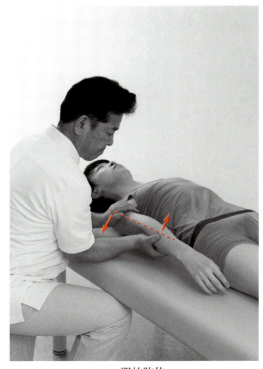 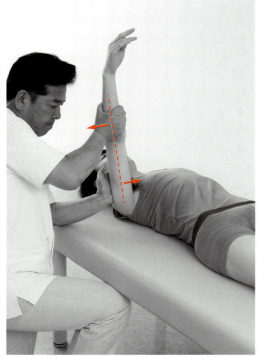

a. 開始肢位　　　　　　　　　　　　　　　b. 終了肢位

図20　背臥位による肩関節屈筋の促通法

かなり低く収縮を感じない場合は，さらに圧迫を加えて収縮を誘発する．その際，肘関節が強く屈曲しようとする場合は，前腕を回外位にして肘関節をロックして行う．反復して促通を繰り返すと，しだいに肘関節は屈曲しなくなる．片麻痺者が肩関節屈曲90°まで挙上できるようになると，次に90°を開始肢位とし180°まで促通を加える．肩関節の屈曲は，90°未満と90°以上で主動作筋が変わるため，はじめは区分して促通するのがよい．促通が正しく行われると，共同運動として出現する大胸筋や外旋筋群の収縮はなく，筋緊張もしだいに減弱する．しかし，肩関節屈筋群の促通法によって三角筋前部線維や烏口腕筋の出力が増しても，上肢の挙上は不十分である．したがって，そのような場合は大胸筋の筋腹を把持したまま挙上方向に誘導すると挙上が可能となる．またその際，繰り返し行うことで挙上筋群の筋出力が増す．

　肩甲骨周囲筋の低緊張が著明で，座位での促通が難しい場合には背臥位で行う（図20）．方法は，座位の場合と同じである．背臥位では，肩甲骨が体幹の重みにより床面で圧迫されるため促通は座位よりも容易である．1セット10回を10セット行うと図21のように肘関節伸展位で肩関節屈曲ができるようになる．

　効果判定のために，自動運動により肩関節屈曲を行い，まだ肘関節が屈曲してくる場合には，促通時の肘関節伸展が不十分なまま行われていることが多い．そのような場合は，前腕を回外位にして肘関節伸展位にロックし再度促通を繰り返すと，肘関節伸展位で肩関節屈曲ができるようになる．一般的に促通は背臥位で行われるが，実生活場面を想定した肢位での促通を推奨しており，そのため座位で行うとよい．なお，座位では下肢を床面に押しつけたり健側上肢で

第Ⅲ章　タナベセラピーの実際①―上肢ボトムアップ・アプローチ

a. 促通の実施

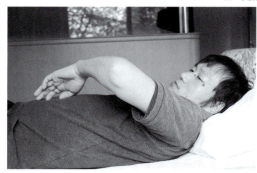

b. 治療前

c. 治療後

図21　実際の片麻痺者に対する肩関節屈筋群の促通法

机上を押しあてるなどにより，麻痺側上肢の随意的な収縮を引き出すことができる．この場合，背臥位で行うと下肢の伸展痙性が極端に高まったりすることがあるので注意する．

6. 肘関節に対するアプローチ

a. 肘関節屈筋群の過緊張・短縮に対するアプローチ

ボトムアップ・アプローチを反復して行うと，肘関節屈筋群の痙性は増し，筋緊張が亢進することが多い．この状態のままボトムアップ・アプローチを繰り返すと，肘関節屈筋パターンに支配された異常なパターンが学習されてしまう．これを避けるために，試行（トライアル）共同運動ごとに屈筋痙性を減弱させ，正常な運動パターンとして課題を繰り返さなければならない．肘関節に対しては，過緊張・短縮に対するアプローチと肘関節の促通法について紹介する．

図22aは，上腕二頭筋に対する筋膜リリースを行っている場面である．示指から小指の指先を一列にそろえて，筋表層からゆっくりと圧迫して筋膜を捉え横断的に指を動かしていく．さらに，圧迫を増して筋の深層に対して横断的にマッサージを行う（図23）．表層筋に対するアプローチを行っても，まだ肘関節の屈曲がみられる時は，深層筋の筋腹に対する抑制モビライゼーションを行う（図22b，c）．

第2節　上肢ボトムアップ・アプローチを行うための徒手的テクニック

【アップ】

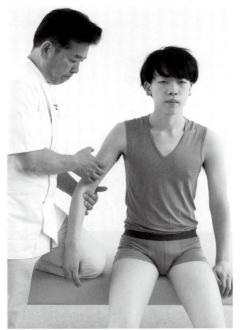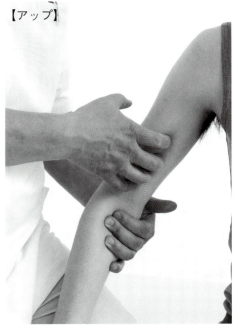

a．上腕二頭筋に対する筋膜リリース

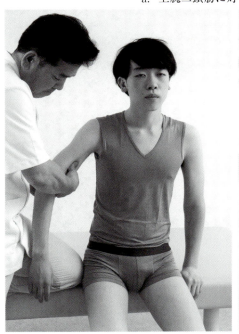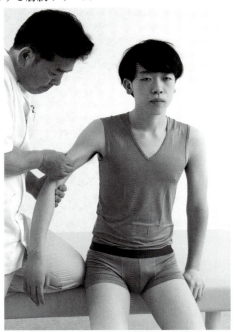

b．上腕二頭筋に対する抑制モビライゼーション①

c．上腕二頭筋に対する抑制モビライゼーション②

図22　肘関節屈筋群（上腕二頭筋，上腕筋，腕橈骨筋）の過緊張・短縮に対するアプローチ

　上腕二頭筋に対する抑制モビライゼーションは，セラピストの母指で上腕二頭筋を押し，次に上腕二頭筋の筋腹を引っ張る．それを交互に行う

図 23 横断的マッサージのポイント
筋膜に対する横断的マッサージでは，指先をそろえて指尖のやや指腹側で行う．なお，固いバターに指先をあて表面を前後にこするとバターがとけてく感覚に似ている．表層に対する横断的マッサージでは筋緊張が抑制できない場合，深層にアプローチする抑制モビライゼーションへと移行する

b．肘関節屈筋群・伸筋群の促通法

　片麻痺者は，肘関節屈筋共同運動パターンに支配されている場合が多く，肘関節の屈曲は容易であるが伸展することが困難な場合が多い．肘関節の伸展は，さまざまな対象物へのリーチ動作に必要である．また，肘関節の伸筋を促通すると肘関節屈筋の痙性が減弱するため，ボトムアップ・アプローチ中に肘関節の屈曲が出現した時にも肘関節伸筋に対する促通を行うとよい．以下に，その促通法を述べる．

ⅰ）肘関節屈筋群の促通法

　前腕近位を上方から押さえ，反対側の手で前腕遠位を下方から把持する（図 24a）．「曲げて」の掛け声に合わせて片麻痺者は，肘関節を屈曲しようとすると同時に，セラピストは前腕近位に抵抗をかける（図 24b）．セラピストは，この時に肘関節屈筋の収縮を感じる．肘関節屈筋の収縮が得られない時は，瞬時に抵抗を増やし上腕二頭筋の伸張反射により収縮を誘発する．肘関節屈筋の収縮を維持するように，最大抵抗をかけ続けると同時にゆっくりと肘関節の屈曲するように前腕遠位を屈曲方向に補助する．この際，抵抗が弱すぎたり強すぎたりすると肘関節

第2節　上肢ボトムアップ・アプローチを行うための徒手的テクニック

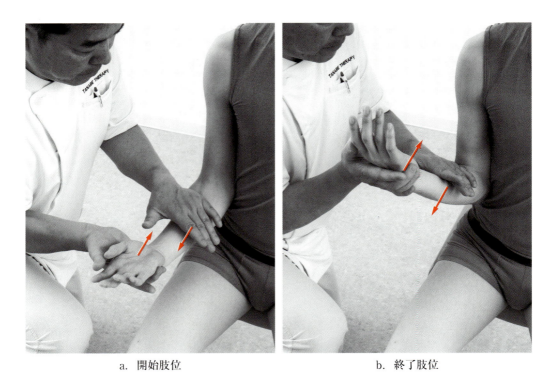

a. 開始肢位　　　　　　　　　　　　　　b. 終了肢位

図24　座位で行う肘関節屈筋群の促通法

屈筋の出力が落ちる.

　この促通方法は，魚釣りに例えることができる．釣りでは，竿を小刻みに引き上げて誘いをかける．魚が食いついた時，引きが弱すぎると逃げてしまい，強すぎると魚の口をちぎり逃してしまう．魚が食いつくと適度な引きを維持しながらゆっくりと引き上げるところが，この促通法に似ている.

　背臥位での肘関節屈曲の促通方法は，座位と同様であるが，座位による促通法で筋出力を引き出すことが困難な場合に行う（図25）．方法は，開始肢位から終了肢位まで前腕を床面に向かって圧迫することにより，運動出現に必要な知覚を与える．また，肩甲骨周囲筋が低緊張である場合でも背臥位で行うと，座位で行う時よりも筋出力は増す．実際に，片麻痺者に対して肘関節屈曲の促通法を20回程度行うと，自動運動で肘関節の屈曲ができるようになる（図26）.

ⅱ）肘関節伸筋群の促通法（図27）

　片麻痺者の手関節を背屈位に維持するように手掌を把持する．手関節と手指のいずれも伸展位で行うのが望ましいが難しい場合は，手指屈曲を許容し手関節のみ背屈位にして行う．肘関節屈曲位から「押して」の掛け声に合わせて，片麻痺者に肘関節を伸展させながら最大抵抗をかける．この時，上腕遠位部を肘関節の伸展方向に圧迫し，肘関節伸展運動がゆっくり出現するように誘導する．肘関節の伸筋出力が得られないか弱い時は，上腕を肩甲骨方向に少し圧迫して伸筋の出力を誘発する.

　肘関節伸筋の筋出力が増すと，さまざまな方向に対するリーチ課題を行うとよい（図28）.

78

第Ⅲ章　タナベセラピーの実際①―上肢ボトムアップ・アプローチ

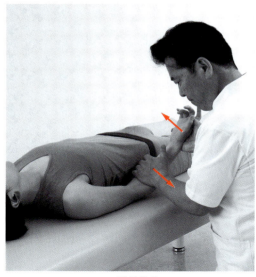

a. 開始肢位

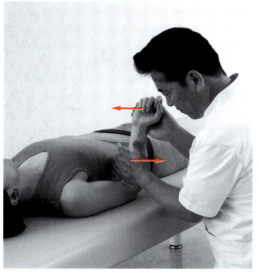

b. 終了肢位

図25　背臥位で行う肘関節屈筋群の促通法

a. 促通の実施

b. 治療前

c. 治療後

図26　実際の片麻痺者に対する肘関節屈筋群の促通法

第2節　上肢ボトムアップ・アプローチを行うための徒手的テクニック

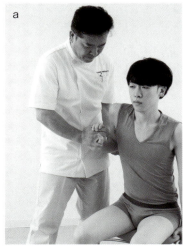
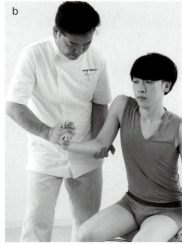
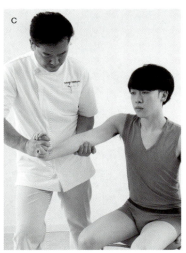
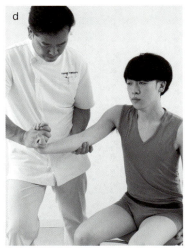
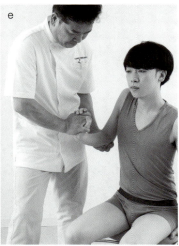

図27　座位で行う肘関節伸筋群の促通法
　片方の手で，肘関節を屈曲方向に圧迫しながら，他方の手で肘関節を伸展させるよう逆方向に圧迫を加える（a〜c）．その後，片方の手で肘関節を伸展方向に圧迫しながら，他方の手で肘関節を屈曲させるよう逆方向に圧迫を加える（d，e）

　ボトムアップ・アプローチに先立ち，肘伸筋に対する促通を行う時は，指向する課題に見合った方向と距離へのリーチを繰り返しながら促通を繰り返す．この際，片麻痺者が肩関節を外転位〔肘関節を側方に上げてのリーチ（肩関節外転）〕で行おうとする時は，セラピストは片麻痺者の肘を体幹方向に押して肩関節外転が出現しない肢位（脇を閉じた肢位）でリーチを繰り返させ，肩関節内転位でのリーチ動作を学習させる．

7．前腕回内筋群・回外筋群の促通法

a．前腕回内筋群の促通法
　上腕二頭筋の痙性や短縮などにより自動運動による前腕回内が不十分であると，用紙などを

第Ⅲ章　タナベセラピーの実際①―上肢ボトムアップ・アプローチ

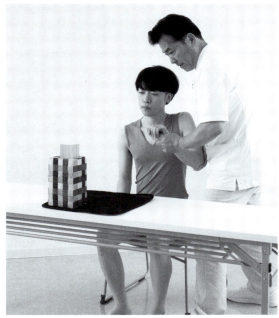

a．開始肢位

b．前方リーチ

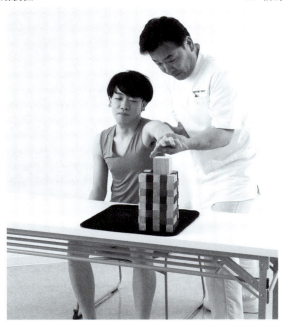

c．側方リーチ

図28　肘関節屈筋群の促通後に行う対象物に対するリーチトレーニング

押さえる動作やパソコンのキーボードを操作する動作が困難となるため，肩関節を外転させた（elbow-up）代償動作により行われることが多い．特にパソコンの入力を長時間行う仕事に就く人にとって，肩関節外転によるキーボード操作は困難であり改善させなければならない（図29a）．前腕回内筋群の促通は，図29b，c のように手関節全体を囲うようにしながら（手関節

81

第2節　上肢ボトムアップ・アプローチを行うための徒手的テクニック

a. 前腕回内可動域が不十分なため肘を上げた代償動作となり長時間の作業は不可能

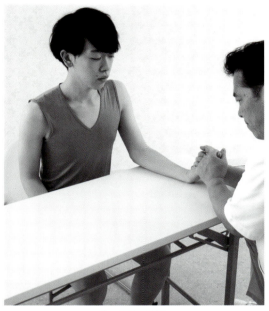

b. 開始肢位

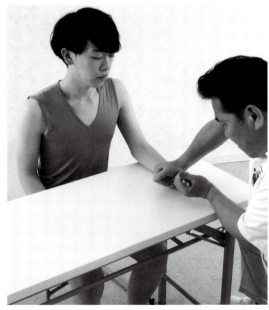

c. 終了肢位

d. 脇を閉めた肢位で操作を繰り返す

図 29　前腕回内筋群の促通法

　前腕回内筋群の促通法は，手関節全体を囲うようにしながら母指球を保持し，セラピストは「（前腕回内に）回して」の掛け声と同時に前腕回外方向に抵抗を加え，片麻痺者の前腕回内筋群にテンションをかける．前腕回内筋群に収縮を感じない場合は，セラピストの片方の手で片麻痺者の前腕回外に最大抵抗をかけると同時に，反対の手で他動的に回内動作を繰り返すと，しだいに前腕回内運動が出現してくる

82

第Ⅲ章　タナベセラピーの実際①―上肢ボトムアップ・アプローチ

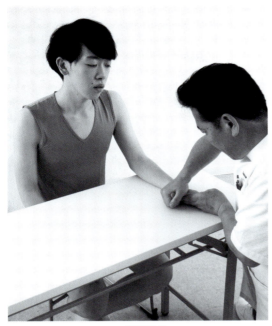 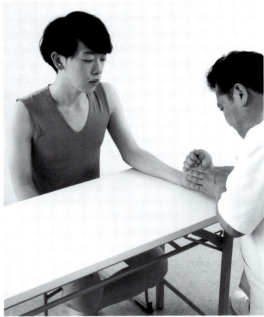

a．開始肢位　　　　　　　　　　　　　　　　　b．終了肢位
図 30　前腕回外筋群の促通
　前腕回内筋群の促通法は，手関節全体を囲うようにしながら母指球を保持し，セラピストは「（前腕回外に）回して」の掛け声と同時に前腕回内方向に抵抗を加え，片麻痺者の前腕回外筋群にテンションをかける．前腕回外筋群に収縮を感じない場合は，セラピストの片方の手で片麻痺者の前腕回内に最大抵抗をかけると同時に反対の手で他動的に回外動作を繰り返すと，しだいに前腕回内運動が出現してくる

を保護しないと手関節をひねる外力が加わり，関節を損傷させてしまう）母指球を保持し，セラピストは「（前腕回内に）回して」の掛け声と同時に前腕回外方向に抵抗を加え，片麻痺者の前腕回内筋群にテンションをかける．前腕回内・回外筋群の促通では，はじめは収縮を感じないことが多い．収縮を感じない場合は，まずはセラピストの片方の手で片麻痺者の前腕回外に最大抵抗をかけると同時に，反対の手で他動的に回内動作を繰り返すと，しだいに前腕回内運動が出現してくる．前腕回内筋群の筋出力を感じると，その筋緊張を保持できるように最大抵抗と前腕回内方向への補助を同時に行っていく．

b．前腕回外筋群の促通法（図 30）

　前腕回外運動は，伝票を持つ，電卓を持つ，お茶碗を持つなど，必要性の高い運動要素である．促通の要領は前腕回内筋群と同じである．図 30 のように母指球を把持した手で，前腕を回内方向に回して抵抗を加えると同時に他方の手で前腕回外運動が緩やかにできるように補助する．なお，前腕回内が上腕二頭筋の代償動作により行われている場合は，肘関節の屈曲を伴う前腕回外動作となるが，この促通を繰り返すと上腕二頭筋の収縮は出現しなくなる．

8. 手関節と手指に対するアプローチ

a. 手関節屈筋群と手指屈筋群の短縮について

　手指の屈筋痙性により常に手を握りしめている片麻痺者の手指は，軟部組織が短縮し微細な癒着がところどころに生じていることが予測される．特に手指の掌側は，さまざまな軟部組織が交わり結合しているため癒着や腱の滑走障害が起こりやすい．例えば，長掌筋の腱は手掌腱膜となり，両側は母指と小指に停止する筋群を被い，縦走線維の終末束は母指球筋の筋膜や皮膚，中手骨小頭付近の皮膚や屈筋腱と接合しているなど，線維，靱帯，皮膚などが相互に癒着している．そのような軟部組織の問題は，ますます手指の運動機能を低下させる．そして，動かす機会がなくなった麻痺手は毛細血管の数も減少し間質液やリンパ液の循環も滞り，さらなる運動障害を引き起こしていることが考えられる．そのため，手関節と手指に対するアプローチを行う前に，まず行わなければならないのが手根屈筋群と指屈筋群，その他の手掌腱膜などの軟部組織の短縮や癒着に対する治療である．

b. 手関節屈筋群と手指屈筋群の短縮治療法

　手指の短縮に対しては一般的にストレッチによる治療が行われている．しかし，痙性筋に対

📋 ***Clinical Hint***

促通法のポイント①—抵抗の方向

　促通により出現する運動は，セラピストが加える抵抗と逆の方向である．そのため，出現させたい運動方向と逆方向に抵抗を加えるのが重要である．例えば，片麻痺者に肩関節の屈曲運動を行わせると，肩関節に外転を伴うことが多い．そのような場合は，肩関節の伸展方向に抵抗を加えることにより，肩関節屈曲に必要な主動作筋のみの運動を引き出すことができる．また，さまざまな方向へ運動を出現させたい場合は，運動を出現させたい方向に抵抗をかけ，運動の自由度を高める．

📋 ***Clinical Hint***

促通法のポイント②—抵抗の力加減

　促通では，運動方向とは逆方向へ抵抗をかけるが，同時に補助として運動方向への力も加える．その際，片麻痺者に随意性が十分にある場合は，補助としての力は弱め，随意性が低い場合は，補助としての力を抵抗より強い力で行う．なお，補助としての力加減は，関節運動がゆっくりと起こることを目安にする．もしも，随意性がまったくみられない場合は，腱反射を利用し，運動方向とは逆の方向に素早く動かして随意性を引き出す．

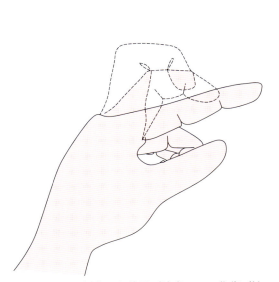 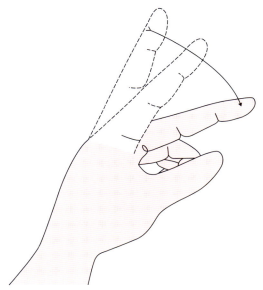

a. MP・IP の屈曲から伸展（速度：3〜4 往復/秒）　　b. IP 伸展位での MP の屈曲から伸展（速度：3〜4 往復/秒）

図 31　手指に対するピストン・フィンガーテクニック

するストレッチは一時的には改善されるが，手指を屈曲させると再び短縮してしまうことが多く，片麻痺者の治療に従事する人の多くの悩みどころの一つとなっている．しかし，次のテクニックは短時間に屈筋痙性を減弱し短縮を改善させることができ，その効果はストレッチよりも持続する．

ⅰ）ピストン・フィンガーテクニック

ピストン・フィンガーテクニックは，手指を素早く屈曲・伸展させることにより，手内の間質液などを循環させ，軟部組織の微細な癒着や短縮を改善させるテクニックである（図 31，32）．このテクニックを行うと短縮などの改善効果が持続するため，麻痺手による反復課題練習を行う時に繰り返し課題が行えるようになる．

ピストン・フィンガーテクニックは，まずセラピストは一方の手で片麻痺者の母指を外転位に保持したまま手を固定し，他方の手で示指の末節骨部（DIP 関節以遠）を持ち，MP 関節軽度屈曲と IP 関節伸展位の開始肢位から MP 関節伸展と IP 関節屈曲位の間を他動的に素早く 20 往復程度動かす．これにより隣接する他の指の屈筋痙性も減弱する．次に示指と中指をそろえて行い，さらに中指と環指をそろえて行う．示指から環指までの屈筋痙性が減弱し筋緊張が整うと，次に示指から各指 1 本ずつ IP 関節を伸展位に保持したまま MP 関節の屈曲・伸展を他動的に素早く行う．他動的な伸展方向の運動範囲は，エンドフィールを感じる手前までとし，強引なストレッチがかからないように行う．速度は，1 秒間に 3 往復以上で行うことにより軟部組織に振動を与え効率的に短縮を改善させることができる．各手指ごとに行った後，四指をそろえて痛みが出現しない範囲で MP 関節をエンドフィール付近まで背屈させる．

第2節　上肢ボトムアップ・アプローチを行うための徒手的テクニック

a. 示指の開始肢位（母指は外転位に保持）

b. 示指の終了肢位（IP関節軽度屈曲とMP関節伸展までを素早く繰り返す）

c. 示指と中指の開始肢位（示指と中指をそろえる）

d. 示指と中指の終了肢位（IP関節軽度屈曲とMP関節伸展まで素早く繰り返す）

e. 四指の開始肢位（四指をそろえる）

f. 四指の終了肢位（エンドフィール付近まで可動域いっぱいに素早くMP関節の屈曲・伸展を行う）

図32　ピストン・フィンガーテクニックの実際

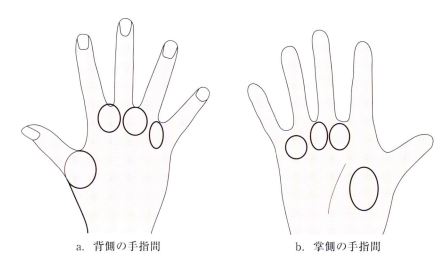

a. 背側の手指間　　　　　　　b. 掌側の手指間

図33　各手指間に対するモビライゼーション

ⅱ）各手指間に対するモビライゼーション

　各手指間（図33）には手掌腱膜の終末部など，さまざまな軟部組織が存在している．片麻痺者の多くは，この部位が健側の手指と比べて固くなっており，なんらかの問題が生じているものと思われる．この固くなったwebスペースに対してセラピストの指尖でつまみ，もみほぐしたり，示指と中指，中指と環指の中手骨部を，それぞれ左右の手で把持して上下方向に交互に伸長すると手指屈筋群の高緊張が改善される．

ⅲ）手関節背屈の促通法（図34）

　片麻痺者は，手関節の屈筋痙性により背屈できないことが多い．手関節の背屈は，手を対象物に適合させる時に必要な運動要素であり，掌屈位におかれている手関節の場合は，肩関節の回旋など近位部の代償動作により補われてしまう．手関節の促通は手根伸筋群に焦点を絞りながらも，はじめは総指伸筋にも促通をかけながら手根伸筋群の出力誘発を導く．方法は，セラピストの片方の手で前腕遠位部を保持して腹部で固定する．他方の手で，まず示指から環指のMP関節を最大屈曲位にしたまま手関節を掌屈していくと，総指伸筋にテンションがかかりIP関節が少し伸展する．このポジションで片麻痺者の基節骨列を手関節方向に圧迫する．そして，「（手関節を）伸ばして」の掛け声と同時に手関節をやや掌屈方向に素早く動かし，手関節伸筋の筋出力を誘発する．はじめは片麻痺者の手関節伸筋出力の有無にかかわらず，最大抵抗をかけつつゆっくりと手関節背屈が起きるように他動的に背屈させる動作を繰り返す．しだいに手関節背屈筋の出力がみられる場合は，伸筋のテンションを逃がさないように抵抗を調整しながら背屈運動を繰り返していく．

c．筋腹に対する横断的マッサージとモビライゼーション（図35）

　手関節屈筋群や浅指屈筋，深指屈筋の筋腹は，痙性により深層まで短縮していることがあり，手関節屈筋群と手指屈筋群の短縮治療法では改善されないこともある．そのため，深部筋を的

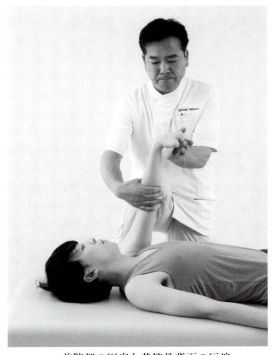 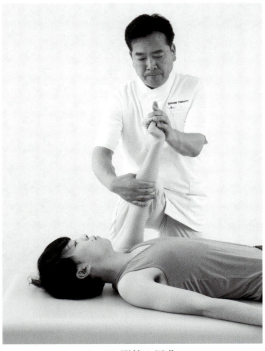

a. 前腕部の固定と基節骨背面の圧迫　　　b. IP関節の屈曲

図34　手関節背屈の促通法

確に捉えながら前腕筋膜をリリースし筋腹に対する横断的マッサージを行い短縮の改善を図る．まずは，前腕にある手指屈筋群の筋腹を表層から深層まで触診して固く触れる筋腹を確認する．

　表層の固い前腕の筋腹をターゲットとし，広範囲に筋腹を捉え，横断的マッサージを行う．次に，セラピストの母指から示指，そして示指から母指と交互に筋腹を圧迫しながらモビライゼーションを行い固さを取り除いていく．（図35）．同じ筋腹でも部分的に固いところもあるため，固い部分の筋腹に対しては，示指または示指と環指のみで局部のモビライゼーションを行う（モビライゼーション手技の詳細は図36を参照）．

9．手指伸展の促通法

　発症から半年以上経過した時点で手指の伸展が不能な痙性麻痺手は，以前は機能回復が望めなかった．また，生活期においても手指伸展を可能にすることに多数成功している．以下に3つの手指伸展の促通法について紹介するが，いずれも促通法のみでは一時的に手指の伸展ができるまでにしか至らず，翌日には再び手指の伸展ができなくなってしまう．そこで，自動運動により手指の伸展ができることに成功すると，直ちに対象物をつかみ離す課題を取り組ませ，再び強く握りしめた手指に対して繰り返し促通を行い，物品のつかみ離し動作が数回反復して行えるまで継続する．この方法で一時的に手指が開くと，片麻痺者は喜ぶが，しかし引き続き

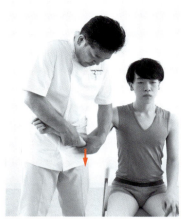
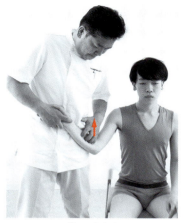
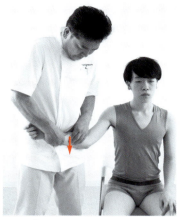

a. 近位を母指で下方へ押す　　b. 四指で引き上げる　　c. 遠位に移動して母指で下方へ押す

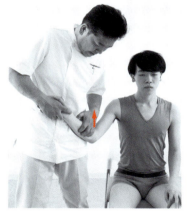
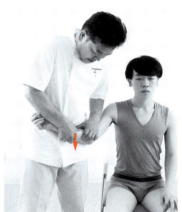

d. 四指で引き上げる　　e. さらに遠位へ移動し同様に母指を下方に押す

図35　筋腹に対する横断的マッサージとモビライゼーション
片麻痺者の前腕部をセラピストの腹部にあてて固定する．ターゲットにした筋の近位から遠位へと横断的マッサージを行った後に，筋を蛇行させるようにモビライゼーションを行う

この促通を繰り返しながら物品のつかみ離し動作を行わなければ，翌日には再現されない．特にこの伸展しない手指をみて片麻痺者は，愕然とするので継続的な介入ができる場合のみに行ってもらいたい．

a．第Ⅰ法

手掌面は通常，凹形の横アーチを形成しており，物品の把握動作においては手掌の凹部と手指の屈曲によって縦アーチを形成し，つまむ，つかむ，にぎる，持つなどの動作を行うことができる（図37a，38a）．前述の「手関節屈筋群と手指屈筋群の短縮について（p84を参照）」で述べたように，手掌腱膜はさまざまな線維・靱帯・皮膚と手指屈筋にも付着していることから，手指は弛緩状態でも軽度屈曲位をとり，構造上で常に手指の屈曲に優位なポジションを

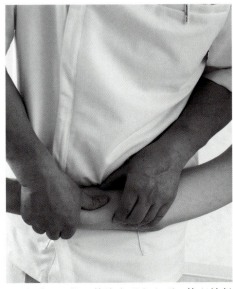
a. 左手の四指で筋腹を引き上げ，筋が蛇行するように右手四指の遠位部と母指で押し下げる

b. 次に右手と左手が加える力の方向を変えて左手の母指で押し下げ，右手の四指で引き上げる

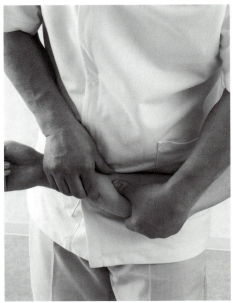
c. 左右の手を5 cm程度遠位に移動して同様に行う

d. モビライゼーションを行った後，手指にストレッチを加える

図36　前腕筋腹に対するモビライゼーションの要領

　前腕掌側には，さまざまな屈筋の深層・浅層が左右に並んでいるが，手指の屈曲・伸展を反復する課題練習を繰り返すと，手関節屈筋群や手指屈筋群は短縮しており触診により硬く触れることができる．手指と手関節を伸展方向にストレッチする前に十分な抑制モビライゼーションを加えておく．抑制モビライゼーションは，まず触診により短縮筋を確認（硬く触れる筋）してから行い，表層のみでなく深層筋に対しても十分に行うのがよい

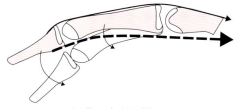 

a. 屈曲に有利な縦アーチ　　　　　　　b. 伸展に有利な逆縦アーチ

図37　手指屈曲に優位なポジションと手指伸展に優位なポジション

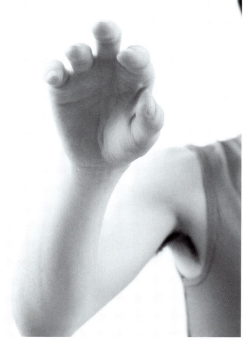 

a. 把握動作に優位な横アーチと縦アーチ　　b. 中指MP関節背部を掌側に圧迫しながら母指球と小指球を背面方向に引き上げて逆横アーチを形成する

図38　横アーチと逆横アーチ

とっている．しかし，われわれが手指を伸展させた時，この縦と横のアーチはしだいに崩れ，最大伸展位では手背面が凹形となる逆アーチを形成する．つまり，手指の運動は凹面方向に優位であることが理解できる．手指伸展の促通法では，常に縦と横アーチを崩し，逆アーチのポジションを形成して手指の伸展運動を促通する．この横アーチを崩し，図38bのようにフラットにすると総指伸筋は伸展しやすくなる．まずは横アーチを崩し，手指を伸展しやすい状態に準備することから開始する．MP関節・IP関節が軽度屈曲位では，指伸筋腱による手指伸展よりも深指屈筋腱・浅指屈筋腱による手指屈曲のほうが優位に働く．逆に，MP関節・IP関節がわずかに伸展位をとると，深指屈筋腱・浅指屈筋腱による手指屈曲よりも指伸筋腱による手指伸展のほうが優位に働く．

第2節　上肢ボトムアップ・アプローチを行うための徒手的テクニック

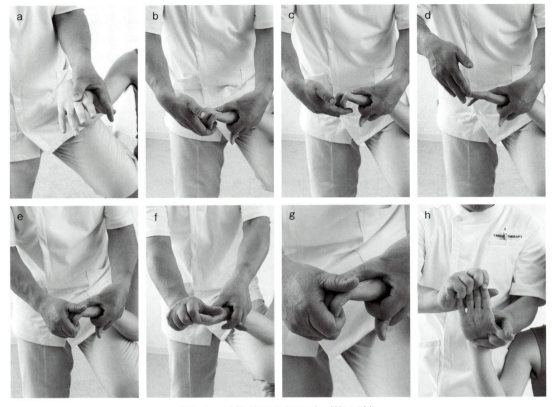

図39　手指伸展の促通法（第Ⅰ法）

a：一方の手で中指MP関節背部を圧迫して母指球を背側に反らせ横アーチを崩して中手骨列をフラットにする
b：他方の手で片麻痺者の指先を引っかけてやや圧迫した状態をつくる
c：セラピストの手を上下させながら片麻痺者のIP関節の屈曲・伸展を行う
d：片麻痺者の手の背側から指尖を圧迫しながら手を握る
e：セラピストの母指列で片麻痺者のIP関節背面を押しながら示指から小指末節骨部を引き上げて手指を伸展位にする
f：片麻痺者の全手指が伸展すると示指から小指指尖をMP関節方向に圧迫してしばらくとめておく
g：再び手指の背側から指尖を圧迫して手を握り，dからfを繰り返す
h：fの動作を手掌面からみたところ

　次に促通ポジションをとる（図39）．まず，横アーチを崩して中手骨列をフラットまたは逆アーチ状に保持し，他動的にIP関節の屈曲・伸展動作を素早く繰り返す．この促通ポジションでセラピストは片麻痺者の指を軽く握りこみ促通の準備をする．そして，「（手指を）伸ばして」の掛け声に合わせてセラピストは手をさらに握り込み，片麻痺者の示指から小指（示指から環指でもよい）のPIP関節・DIP関節に圧迫をかける．手指の伸展運動に抵抗をかけながら他方の手，特に母指で片麻痺者の基節骨背面を圧迫しながらゆっくりと手指伸展運動を引き起こす．

b．第Ⅱ法

　この手技は，第Ⅰ法よりも即時効果が期待できる．本来の手指のアーチを逆にした逆アーチをセラピストが他動的に形成し，図40のように肘関節軽度屈曲位（図40a）から上肢をセラピ

第Ⅲ章　タナベセラピーの実際①―上肢ボトムアップ・アプローチ

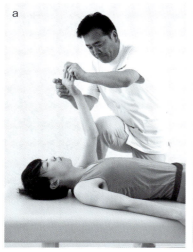  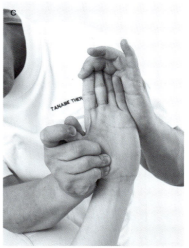

図40　手指伸展の促通法（第Ⅱ法）
　手指の逆アーチを他動的に形成し，肘関節軽度屈曲位でセラピストの膝を肘にあてる（a）．次に，セラピストの膝で肘を押し込みながら肘関節を伸展させる（b）．cは手指の逆アーチを形成させる様子

ストの膝で肘を押し込みながら伸展させ（図40b），手指から上肢全体を伸展位に保ったまま「（上方へ）手を突き出して」と声かけする．この時，セラピストは手指が屈曲してこないように麻痺側の手指をしっかりと保持し（図40c），体幹方向に押し下げる力を加えて抵抗をかける．片麻痺者が手を含めた上肢全体を天井方向に突き出す時，手背に総指伸筋腱が浮き出るのが観察され，総指伸筋の出力が増していることを確認できる．

c．第Ⅲ法（図41）
　第Ⅲ法は，母指と示指を外側に広げて行う手指伸展の促通法である．片麻痺者の母指と示指間，環指と小指間に，それぞれセラピストの示指と小指を背側から入れた肢位をとる（図41a, c）．

> **Clinical Hint**
> **総指伸筋の筋出力を誘発するメカニズム**
>
> 　横アーチを崩しフラットにすることによる手指伸展誘発については，臨床的経験に基づいた方法であり，解剖学的な検証が今後必要と思われる．そこで筆者の解釈について記しておく．総指伸筋はMP関節伸展の主動作筋であり総指伸筋腱から基節骨底に付着する伸展索を牽引することにより基節骨がMP関節を軸に挙上することがわかっている．各指のMP関節底部（掌側板が付着した部分）は，深横手横靱帯により左右の中手骨と連結している．側副靱帯もMP関節側面に走っている．おそらく各中手骨を外転させると中手骨底部に付着する軟部組織が伸長され，間接的に総指伸筋を近位方向に引っ張ることになるのではないかと考える．

93

第2節　上肢ボトムアップ・アプローチを行うための徒手的テクニック

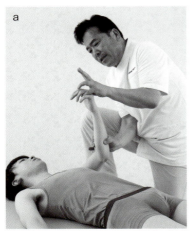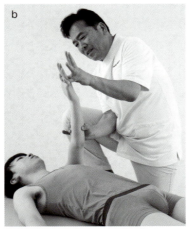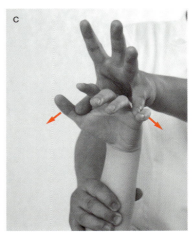

図41　手指伸展の促通法（第Ⅲ法）

　片麻痺者の母指と示指間，環指と小指間に，セラピストの示指と小指を背側から入れる（a）「手を開いて」の掛け声に合わせて片麻痺者の母指と小指を軽く外転方向に広げる（b）．cは母指と小指を軽く外転方向に広げた様子

　そして，「手を開いて」の掛け声に合わせて片麻痺者の母指と小指を軽く外転方向に広げる（図41b）．この動作により，間接的に総指伸筋の滑走を補助することになるため，片麻痺者は容易に手指を伸展することができる．この手指伸展の促通法は，総指伸筋の出力がわずかにあるが手指を伸展させようとした時に屈筋の同時収縮が起こる場合などに有効である．母指の伸展と外転は，対象物を把握するためには不可欠な運動要素であるため，この運動要素の促通成果が片麻痺者の手の操作性を左右するといっても過言ではない．

d. 屈曲した手指の短縮治療と手指伸展の促通法

　促通の方法は，母指のIP関節とMP関節を軽く屈曲位にしてMP関節から末梢にかけてしっかりと把握する．母指全体を小指MP関節方向に牽引して長母指伸筋腱と短母指伸筋腱，長母指外転筋腱に軽くテンションを加える．この状態からセラピストの母指で第1中手骨部分を背側から圧して，長母指伸筋腱と短母指伸筋腱，長母指外転筋腱をさらに伸長させると同時に「（母指を）伸ばして」と指示し，母指の伸展・外転を促す．随意性が引き出せない場合は，はじめは伸展・外転を他動的に繰り返し動かす．母指の伸筋や外転に対する潜在能力がある片麻痺者では，しだいに筋の出力が出現し，セラピストも明らかな母指の伸展・外転運動を感じるようになる．筋の出力を感じると，セラピストは母指の基節骨を屈曲方向に圧迫して，さらに筋出力が増すように誘導する．図42は片麻痺者の治療場面である．まずは，ピストン・フィンガーテクニックにより手指の屈筋痙性を減弱し短縮を改善させる．そして，手指伸展の促通法の第Ⅰ法に引き続き第Ⅱ法を行い，手指の伸展が可能になった治療場面である．

第Ⅲ章 タナベセラピーの実際①―上肢ボトムアップ・アプローチ

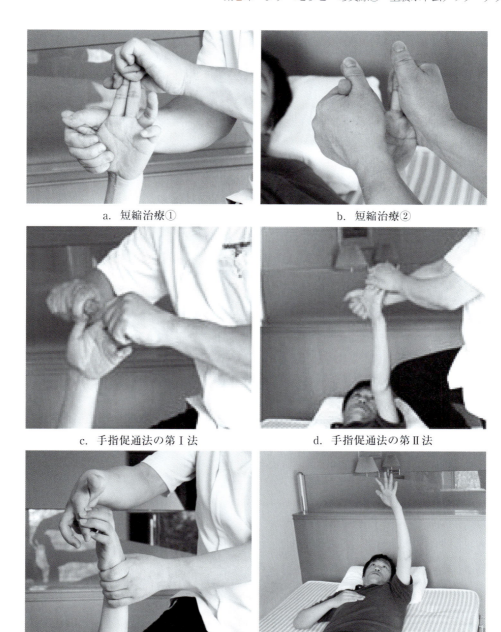

a. 短縮治療①　　　　　　　　b. 短縮治療②

c. 手指促通法の第Ⅰ法　　　　　d. 手指促通法の第Ⅱ法

e. 治療前（軽く伸展すると抵抗する手指）　　f. 治療後

図42　実際の片麻痺者に対する屈曲した手指の短縮治療と手指伸展の促通法

10. 母指伸展・外転の促通法

　痙性麻痺手の母指の場合，母指IP関節の伸展が可能になっても橈側または掌側外転ができなければ対象物をつかみ離すための機能は備わらない．母指IP関節の伸展に対する促通は，手指伸展の促通法と同様である．図43は，実際に片麻痺者に対して母指のIP関節伸展とIP関節外転を促通した治療場面である．事前にピストン・フィンガーテクニックや母指の内転筋に対し

95

a. 促通の実施

b. 治療前

c. 治療後

図43　実際の片麻痺者に対する母指伸展・外転の促通法

て，短縮改善のための横断的マッサージなどを行ってから促通を行う．促通は，母指MP関節の橈側または掌側外転について繰り返し行う．なお，開始肢位は母指CM関節がわずかに屈曲する程度に母指MP関節を最大屈曲させた肢位で始める．

11．母指・小指対立筋の促通法（図44）

つかみ動作，つまみ動作，にぎり動作など，母指と小指の対立動作が必要な課題を指向する場合に，この促通法を行う．開始肢位は，図44aのように，第1中手骨掌側面（母指対立筋の筋腹上）と第5中手骨掌側面（小指対立筋の筋腹上）をセラピストの指尖列で保持する．はじめに「母指と小指の先をこのように合わせてください」と説明しながら他動的に対立運動を繰り返し運動の方向について確認する．「母指と小指の先を合わせてください」「合わせて！」と掛け声をかけると同時にセラピストの手で対立運動の真逆の運動方向に，一瞬動かして対立筋の筋緊張を高め，以後はゆっくりと他動的に対立運動を補助する．

図44　母指・小指対立筋の促通法

　第1中手骨掌側面（母指対立筋の筋腹上）と第5中手骨掌側面（小指対立筋の筋腹上）をセラピストの指尖列で保持する（a）．「母指と小指を合わせてください」と説明しながら他動的に対立運動を繰り返す（b, c）．対立運動の出力が感じられた場合，対立運動と逆方向に抵抗をかけて筋緊張を高める

> **Clinical Hint**
> **母指の対立肢位の作り方**
>
> 　母指の対立ができない片麻痺者には，次の方法でも行うことができる．まず，粘着包帯に切り込みを入れ，そこに母指を通す（①）．そして，母指を掌側に外転させるように粘着包帯を引き背側に回す（②）．さらに母指を橈側外転させるために，母指と示指の間から粘着包帯を通して母指を引っ掛けて橈側方向へ引っ張り（③），手関節の背側まで回してとめる（④）．
>
>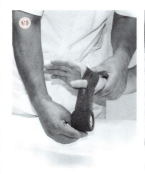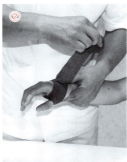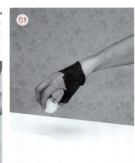

Clinical Hint

虫様筋の代償動作を制御したつまみ動作の作り方

　片麻痺者の中には，対象物をつまむ時に虫様筋のみを使用し，IP関節を伸展させたつまみ動作を行う人がいる．正常なつまみ動作は，浅指屈筋および深指屈筋，虫様筋の共同した運動により行われる．その対策として，MP関節の屈曲を伴わないIP関節のみの屈曲でつまみ動作を繰り返すことにより正常な共同としてのつまみ動作が可能となる．そこで，粘着包帯を用いて背側手根部中央を起点に，示指から環指までの指のつけ根に粘着包帯を回して背側方向に引き上げて（①，②），最後に手関節に粘着包帯を回して固定する（③）．そして，MP関節が屈曲しないことを確認し，つまみ練習を繰り返す（④）．

  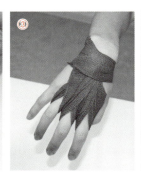 

文献

1) Skinner BF：The Behavior of Organisms—An Experimental Analysis. Appleton-Century-Crofts, New York, 1938
2) Skinner BF, et al：A history of psychology in autobiography—The technology of teaching. Appleton-Century-Crofts, New York, 1968
3) Panyan M：How to use shaping. H & H Enterprises, Kansas, 1980
4) Taub E, et al：An operant approach to rehabilitation medicine：overcoming learned nonuse by shaping. *J Exp Anal Behav* **61**：281-293, 1994
5) 中村隆一，他：基礎運動学 第6版．医歯薬出版，2003

第Ⅳ章
タナベセラピーの実際②
─下肢ボトムアップ・アプローチ

第1節

下肢ボトムアップ・アプローチ とは

1 下肢ボトムアップ・アプローチ

　下肢ボトムアップ・アプローチ（主に歩行）の目的は，片麻痺者が達成したいと望んでいる「移動を伴う活動」が安全にできるようにすることであり，その活動に必要となる歩行能力を身につけながら活動を習慣化させるように働きかけていくことである．下肢ボトムアップ・アプローチは，主にセラピストがいない場所で立位練習や歩行練習を繰り返し行われるため，屋内移動が監視の下で自立していることが基準となる．屋内歩行に介助が必要な重度の片麻痺者では，集中したトレーニングに耐えられず，屋外歩行への課題取り組みなどのトップダウン・アプローチの導入も困難である．そのため，まずはボトムアップ・アプローチのみの介入を行い，介助なしの歩行が可能になってからトップダウン・アプローチへと移行する．基本的な構成は上肢のアプローチと同様であり，自宅や公共施設などでの実践的な歩行課題に取り組めるように，まずは午前中に医療施設においてボトムアップ・アプローチを行い，歩行能力を向上させてから帰宅後に実践的な歩行課題を繰り返し行うトップダウン・アプローチへと進める．そして，翌日にセラピストが昨日からの取り組みについてモニタリングを行う．

　片麻痺者にとって，立位での課題を実践している時や歩行時は常に転倒のリスクを負い，また転倒に対する恐怖感がつきまとう．片麻痺者に対して左右対称的な安定した歩容を習慣化させるためには，課題に付き添える援助者が常に必要となる．そのため下肢ボトムアップ・アプローチでは，自宅課題に付き添う人にも正しい歩行パターンを誘導する手技を医療施設内で教育する必要がある．筆者の経験から，下肢ボトムアップ・アプローチの決め手は，いかにして恐怖感のない安定した歩行動作ができるかである．セラピストの直接アプローチにより正常運動パターンに近づいた歩容ができたとしても，一度の転倒などにより片麻痺者の脳裏に恐怖感を覚えた場合，すぐに代償動作による非対称性の歩行に戻ってしまう．また，下肢ボトムアップ・アプローチでは対称的な交互の振り出し歩行が転倒なくできても，片麻痺者が自覚するまで繰り返しトレーニングを行わなければ習慣化には至らない．

　片麻痺者の多くは，身体図式や身体イメージが実際の身体がとる姿勢とずれており，セラピストが片麻痺者を床面に対して垂直に位置（真の中心）するように誘導すると「ものすごく麻痺側に傾いている」と感じてしまう．この場合，真の中心に身体をおいた姿勢を徹底して歩くことを数日間繰り返すことにより，身体図式や身体イメージのずれは大幅に改善される．このずれを改善することも，歩容習慣化の条件となる（図1）．

　下肢ボトムアップ・アプローチの流れとして，介入前の面接内容は上肢ボトムアップ・アプ

第Ⅳ章　タナベセラピーの実際②—下肢ボトムアップ・アプローチ

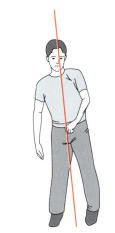
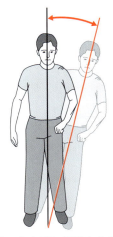

a. 片麻痺者が感じている中心　　b. 真の中心軸に矯正すると
　　　　　　　　　　　　　　　　麻痺側に傾いていると感じる

図1　片麻痺者の身体イメージ

ローチと同じであるが，質問内容や目標設定については，すべて移動を伴う活動に絞って行う．下肢ボトムアップ・アプローチの場合，ぶん回し歩行や鶏状歩行など非麻痺側を優位に使った代償的な異常歩行パターンに対する治療などの歩容改善を行い，左右対称的な歩行が定着してから順次，横断歩道の通過や交通機関の利用，犬との散歩といった具体的な目標へと行っていく．なお，自宅に帰ってから行われるトップダウン・アプローチは，歩容が改善されるまでは，できるだけ交通量のない平坦な直線道路などで基本的な歩行練習を繰り返し行う．この際，歩行練習には必ず家族などが終始付き添い，セラピスト同様にハンドリングを加えた歩行パターンの誘導を行わなければならない．また，片麻痺者単独での歩行練習は代償パターンに陥っても気づかないため，必ず歩行誘導の手技について教育を受けた付き添いの人とともに繰り返し練習を行う．家族など付き添いの人に対する教育の内容は，歩行時に骨盤を左右対照的になるように保持したり，麻痺側の骨盤を引き上げないように骨盤を下方に押さえておくなどを伝える．

　歩容が改善された後は，介入前の面接で抽出された獲得目標動作を繰り返し行っていく．プログラムの設定では，麻痺の重症度や歩行耐久力などを考慮して個々に適したプログラム内容を設定する．

2　各種運動機能レベルに対する下肢ボトムアップ・アプローチの設定

1. 屋外歩行自立レベルの片麻痺者

　歩行耐久時間が1日1時間以上あるような片麻痺者の場合は，午前中に医療施設において片麻痺者が獲得したい移動を伴う課題に必要な運動要素を選択的に向上させ，帰宅前に自宅での

第1節　下肢ボトムアップ・アプローチとは

トップダウン・アプローチの課題を決定し，帰宅後にさまざまな移動課題に取り組む．翌日の朝，医療施設において片麻痺者が行った課題の成果と問題点についてモニタリングを行う．モニタリングでは，特に行った歩行課題の遂行において障壁となったこと，例えばエスカレーターや手すりのない階段，横断歩道などについて聴取し，当日中にその遂行できなかった場面を再現した機能訓練を行ったり，環境改善についてのアイデアを提示するなど問題の解決に努める．ただし，必ず正常歩行パターンがおおむね習得されるまでは，基本的な平地歩行練習を行う．

2.　屋内歩行自立レベルで日中はほとんど歩く機会がない片麻痺者

トイレ移動以外は，ほとんど歩くことがない片麻痺者の場合は，廃用性の筋萎縮などに陥っていることが多く，午前中の治療により疼痛が生じたり，極度の疲労から歩くことができなくなることもある．そのため，午前中に医療施設において歩行能力が改善しても，午後に実生活場面で歩行を伴う課題（買い物をする，電車に乗る，知人の家に行くなど）を行うほどの余裕はない．そのため，歩行能力が低い片麻痺者ではボトムアップとトップダウンのアプローチを別々の期間に区分して行う方法がよい．具体的には，医療施設において3〜5日間の期間で1日1時間以内の機能訓練のみを行い，その後の1〜2週間は自宅やその周辺において運動強度の低い歩行課題を付き添いの人と一緒に実践する．まずは，長時間の立位保持や歩行に耐えうる身体づくりに取り組むとよい．セラピストによるモニタリングが受けられない場合は，日々のデイリーノートに記録したものをまとめて後日提出したり，電話やメールでのやりとりによって実践した課題を報告することもできる．

第2節 下肢ボトムアップ・アプローチを行うための徒手的テクニック

1 片麻痺者の歩行特性

正常歩行と比較した時の片麻痺者の歩行は，主に次の6項目の特性がみられる[1〜3]．
①歩行速度が遅く歩行周期が長い．
②歩行のストライド長が短く麻痺側から非麻痺側へのステップ長が短い．
③麻痺側の踵接地が困難であり，つま先あるいは足底全体で接地する．
④歩行立脚期に麻痺側の足関節が内反し不安定である．
⑤歩行遊脚期に骨盤の引き上げやぶん回し，股関節の過度の屈曲，過度な体幹の前傾・後傾がみられる（図1）．
⑥正常歩行は，踵接地時に足関節背屈筋群が下腿を前傾させ，股関節伸筋群が身体重心を前上方に移動させていくが，片麻痺者は骨盤が後傾し，麻痺側の歩行立脚初期に身体重心が下がるため重力落下でなく，身体の動きで努力性に前方移動している．また，片麻痺者の歩行は歩行立脚期に膝関節屈曲位，または体幹を前傾した膝関節過伸展をとることが多い（図2）[3]．

これらの歩行特性を改善しなければ，片麻痺者が獲得を目指す歩行を伴う具体的な課題（例：スーパでの買い物，公共交通機関の利用，知人宅への移動など）の達成に必要となる歩行スピードや立位バランスを獲得することは困難となる．

2 片麻痺者特有の歩行が生み出す軟部組織の短縮

下肢ボトムアップ・アプローチにおいても，上肢に関係する頭頸部と胸郭・脊柱の治療は必須である．ただし，ここでは，第Ⅲ章で述べたので省略し，股関節から足部までの片麻痺特有の特性について述べる．

片麻痺者の歩行は，麻痺側の歩行立脚後期の股関節伸展がみられず，歩行遊脚期は膝関節を伸展したまま側方からぶん回している．麻痺側の腸腰筋と大腿四頭筋（特に大腿直筋）の過緊張は，股関節の伸展を阻害し，膝関節を屈曲したスムーズな振り出しを不能にしている．また，歩行立脚中期はハムストリングスの過緊張により膝関節の伸展を阻害している．これらの過緊張は，強力な短縮を生み，さらなる異常パターンによる歩行を生み出している．歩行練習では，

103

第2節　下肢ボトムアップ・アプローチを行うための徒手的テクニック

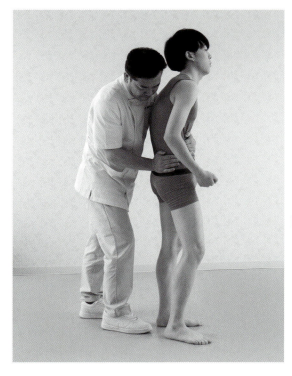

図1　骨盤と体幹による代償的な麻痺側下肢の振り出しの確認
本来，歩行遊脚初期は股関節の屈曲のみにより振り出されるが，骨盤を固定すると骨盤の引き上げや体幹の代償ができなくなるため麻痺側下肢を振り出すことができなくなる

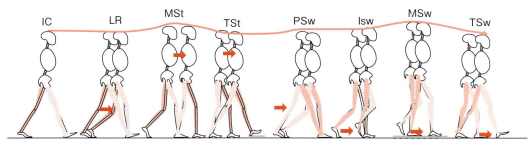

a．正常歩行

初期接地（IC：Initial Contact）　荷重応答期（LR：Loading Response）　立脚中期（MS：Mid Stance）　立脚終期（TSt：Terminal Stance）　前遊脚期の終わり（PSw：Pre-Swing）　遊脚初期（Isw：Initial Swing）　遊脚中期（MSw：Mid Swing）　遊期終期（TSw：Terminal Swing）

b．片麻痺者の歩行

図2　正常歩行と片麻痺者の歩行特性（文献4）より改変引用）
正常な歩行では，荷重応答期から立脚中期にかけて身体重心がもっとも高くなるが，片麻痺者の歩行では，荷重応答期に身体重心に極端に低くなり，歩行速度が失速する

第Ⅳ章　タナベセラピーの実際②―下肢ボトムアップ・アプローチ

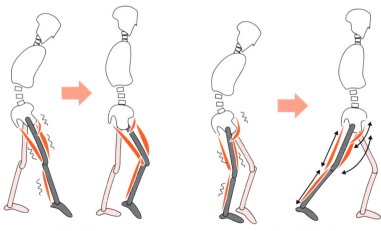

　　　　a．歩行遊脚期の場合　　　　　　b．歩行立脚期の場合

図3　片麻痺者特有の歩行が生み出した軟部組織の短縮と改善後の歩容
麻痺側の歩行遊脚期は，ハムストリングスの短縮により股関節の十分な屈曲を阻害しており，また大腿四頭筋の痙性と短縮により膝関節は伸展したまま振り出すことになる

腸腰筋，大腿四頭筋，ハムストリングスの短縮治療を頻回に行いながら進めていくことが重要である（図3）．

3　片麻痺者における歩行改善の徒手的テクニック

　片麻痺者の正常な歩行パターン（図4）は，麻痺側下肢が荷重応答期に下方に崩れずに，しっかりと支えて身体重心を高く維持したまま足底部を転がす振り子運動（ロッカー機能）によって上体を推進させていくように誘導する．また，麻痺側の歩行立脚初期の股関節伸展モーメントと足関節背屈モーメント（適切な装具装着による）と歩行立脚終期での股関節伸展を確保することも重要である．筆者は次の徒手的アプローチを行った後，ボトムアップからトップダウン・アプローチへと進めることで歩容の改善につながると考える．

1．歩行練習前に行われる筋性・骨性アライメントの調整

a．頭頸部のアライメント調整
　立位姿勢において，骨盤が前傾して脊柱が伸展した骨性の荷重支持となるようにアライメントを整える．具体的なアプローチ法は第Ⅲ章の第2節「1．頭頸部に対するアプローチ」を参照いただきたい．

b．股関節の伸展可動域を確保
　歩行立脚後期に股関節が十分に伸展していることが交互の振り出し歩行の条件となる．片麻

105

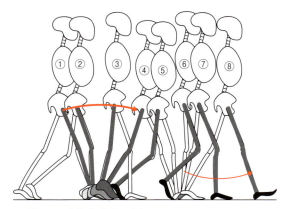

図4　正常な歩行パターン（文献4）より引用）

痺者では，歩行立脚期終末から遊脚期に移行する際の蹴り出しができないため，股関節の屈曲運動により振り出しが開始される．股関節の伸展が十分に得られると，腸腰筋が小転子を軸に伸長して大腿部を前方に引き出す力を生み，正常歩行に近いスムーズな振り出しが可能となる．そのため，腸腰筋などの短縮を改善し，股関節の伸展可動域を確保しておく必要がある．

c．腸腰筋と大腿四頭筋，大腿筋膜張筋（特に大腿直筋）の短縮治療（図5）

　大腿四頭筋の短縮治療については，さまざまな方法があるが，筆者が行っている方法を紹介する（図5）．図5a，bは大腿四頭筋に対する横断的マッサージや抑制モビリゼーションの実施場面で，図5dは腹臥位での大腿四頭筋のストレッチの場面である．図5cは，股関節外旋による大腿筋膜張筋のストレッチ場面である．腸腰筋は直接筋腹に対する治療ができないため，短縮についてはストレッチがメインとなる（図5e，f）．

　片麻痺者の腸腰筋と大腿四頭筋は，セラピストが触ると痛みを訴えることが多いため，はじめはソフトタッチと愛護的なハンドリングにより行い恐怖感を与えないようにする．片麻痺者が腹臥位をとることができる場合は，腹臥位で行うと手技はやりやすい．腸腰筋と大腿四頭筋の短縮に対しては上肢でも紹介した横断的マッサージや通常のストレッチを加えても，かなり改善がみられる．図6は，実際の片麻痺者に大腿四頭筋と腸腰筋の短縮に対する治療場面である．なお，膝関節伸展位での股関節の伸展と股関節伸展位での膝関節の屈曲の可動域は左右差がなくなるまで行う．

d．下腿三頭筋の短縮治療（図7）

　下腿三頭筋は，下肢装具を装着している痙性片麻痺者のほとんどにおいて短縮がみられる．下肢装具は，足関節の背屈制限を生じさせるので踵接地（heel-contact）ができなくなり，歩行立脚期が極端に短くなるため膝関節の過伸展などの要因にもなる．特に足関節に可動式の装具を装着している場合は，次に述べる下腿三頭筋の短縮治療を十分に行ってから歩行練習を開始する．

　下腿三頭筋の短縮治療は，まず図7aのように腹臥位で膝関節を90°屈曲位にして足底外側

第Ⅳ章　タナベセラピーの実際②―下肢ボトムアップ・アプローチ

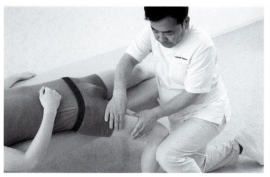
a．大腿四頭筋に対する横断的マッサージ

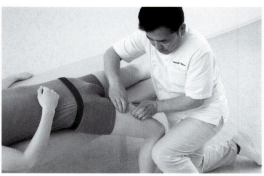
b．大腿四頭筋に対する抑制モビライゼーション

c．大腿筋膜張筋に対するストレッチ

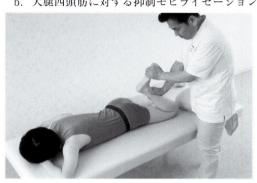
d．大腿四頭筋のストレッチ

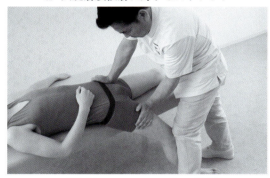
e．腸腰筋のストレッチ①―背臥位

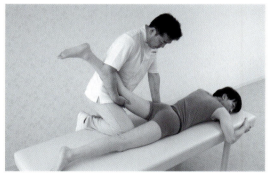
f．腸腰筋のストレッチ②―腹臥位

図5　腸腰筋と大腿四頭筋の短縮治療（股関節の伸展を確保）

をセラピストの胸部にあてセラピストの体重をのせる．そして，踵部と足先を保持して膝関節を約110°まで屈曲させながら足関節を背屈させていく（図7b）．次に，膝関節を屈曲約90°まで伸展しながら足関節も底屈させて図7aに戻す．この動作をゆっくりと繰り返す．この手技により下腿三頭筋の短縮が改善されると同時に大腿四頭筋および腸腰筋の短縮も改善する．

e．ハムストリングスの短縮治療（図8）

治療前に左右の下肢伸展挙上（SLR：Straight Leg Raise）を比べてみると，麻痺側はかなりSLRが小さい（図8a）．そこでハムストリングスの中でも，特に坐骨に近い部位の大腿二頭筋と半腱様筋に対して横断的マッサージを加えると，ほんの2分程度でも歩行時の振り出しを阻

第2節　下肢ボトムアップ・アプローチを行うための徒手的テクニック

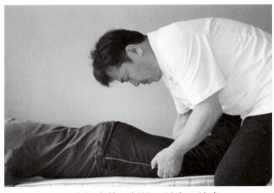
a. 大腿直筋の短縮に対する治療

b. 腸腰筋の短縮に対する治療

c. 治療前

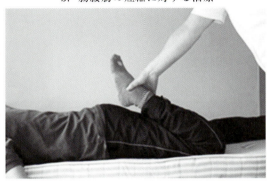
d. 治療後

図6　実際の片麻痺者に対する大腿四頭筋と腸腰筋の短縮改善

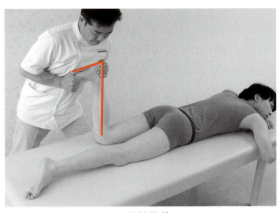
a. 開始肢位

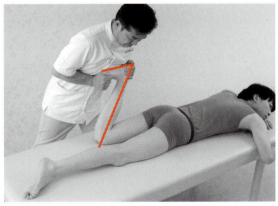
b. 終了肢位

図7　下腿三頭筋の短縮治療（ダイナミック・ストレッチング）
　図のようにセラピストの胸部に片麻痺者の足底部をおき，膝関節の屈曲時に合わせてセラピストの体重をかけながら足関節を背屈させる

108

第Ⅳ章　タナベセラピーの実際②─下肢ボトムアップ・アプローチ

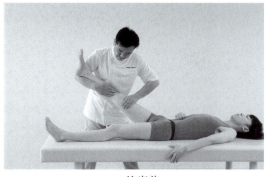
a. 治療前

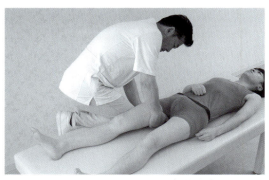
b. ハムストリングスの短縮治療

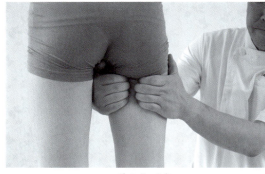
c. 手のあて方

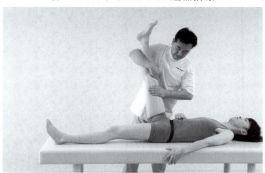
d. 治療後

図8　ハムストリングスの短縮治療（麻痺側下肢の振り出しを確保するため）

害しない程度に改善される．方法は，まず図8bのように背臥位で片麻痺者の大腿両側から左右の手を入れ，坐骨結節から遠位に5 cmの位置にあるハムストリングスの筋腱移行部付近に対し，指先を大腿部に直角にして触診し固く触れる大腿二頭筋と半腱様筋を確認する．その位置からセラピストの左右の四指先でターゲット筋に対して横断的マッサージを加える（図8c）．2分程度行うと図8dや図9cのようにSLRは大きくなる．なお，図9は実際に片麻痺者に対する短縮治療である．

2. 麻痺側下肢の振り出し練習

a．スムーズな麻痺側下肢の振り出し

片麻痺者の麻痺側下肢の振り出しは，大腿四頭筋とハムストリングスの同時収縮により膝関節を伸展位にした状態で，骨盤の引き上げにより麻痺側の下肢が振り出されるパターンが多い．正常な歩行では，歩行遊脚初期において骨盤を引き上げず，しだいに膝関節が屈曲したのち前方に振り出され，歩行遊脚後期には膝関節が伸展して踵から接地する．この動作を可能にするためには麻痺側下肢の過剰な筋緊張を伴わない振り出しでなければならない．歩行練習の際には大腿四頭筋，特に大腿直筋とハムストリングスの筋緊張を整えて短縮を頻回に改善しながら行うと，麻痺側下肢のスムーズな振り出しができるようになる．

練習の方法は図10のように側臥位で行う．まず図10aのように，セラピストは片麻痺者の

第2節　下肢ボトムアップ・アプローチを行うための徒手的テクニック

a．ハムストリングスの短縮に対する治療

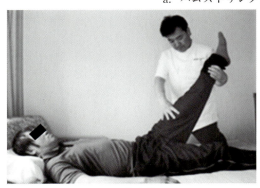

b．治療前

c．治療後

図9　実際の片麻痺者に対するハムストリングスの短縮治療

殿部を大腿外側で押さえて股関節伸展位，膝関節屈曲位で保持する．そして，「膝を前に」と掛け声に合わせて膝関節屈曲位のまま麻痺側下肢の振り出しを行う．セラピストは，麻痺側下肢の振り出しに抵抗を加えながら他方の手で振り出しを補助する．図10b の肢位にくると，次に股関節を伸展して図10a（開始肢位）まで戻す．この時，セラピストは足底部に抵抗をかけながら膝においた他方の手で補助する（図10c）．なお，はじめは膝関節屈曲位で麻痺側下肢の振り出しを開始し，しだいに膝関節を伸展させる動作までを繰り返す（図10d〜f）．

b．立位における麻痺側下肢の振り出し練習（図11）

　歩行練習中に麻痺側下肢の筋緊張が高くなり膝関節伸展位の状態のままになることがある．このような場合，歩行練習コースのつかまり立ちができる場所で，図11のように立位による麻痺側下肢の振り出し練習を行う．これは側臥位で行う麻痺側下肢の振り出し練習と同じであるが，ほとんどの片麻痺者が図11a，b のように体幹による代償が出てしまうので，代償が顕著な場合はセラピストの片手で体幹を固定して行う．まず，図11c のように片麻痺者の健側の手で手すりなどをつかまらせ，頭部から下肢まで身体を真っ直ぐにして立たせる．セラピストは，キャスター付きのセラピーチェアーに座り，片麻痺者の麻痺側下肢をすくい上げ，膝関節を屈曲させてセラピストの膝上におく．そして，「太ももを前に振り出して」と声をかけて麻痺側下肢の振り出させる．その際，セラピストは麻痺側下肢の振り出し動作に対して抵抗をかけながら他方の手で補助する．

第Ⅳ章　タナベセラピーの実際②―下肢ボトムアップ・アプローチ

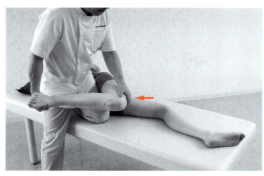

a．膝関節伸展させない開始肢位

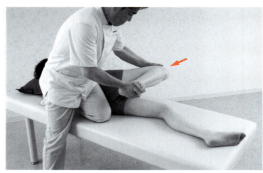

b．股関節伸展方向に抵抗をかける

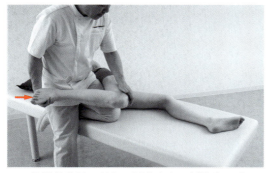

c．股関節伸展に対して屈曲方向に抵抗をかける

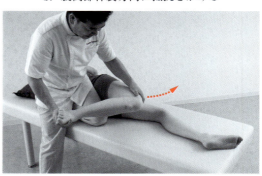

d．膝関節伸展させる開始肢位

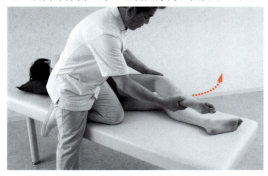

e．膝関節伸展を誘導

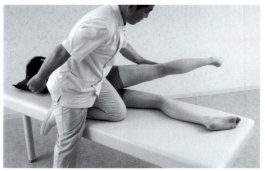

f．膝関節伸展

図10　膝関節屈曲位での麻痺側下肢の振り出し練習

　この練習は体幹伸展位で行う．まずは膝関節を屈曲させて膝関節の伸展を伴わない股関節屈曲のみの運動により麻痺側下肢の振り出しの練習を行う．この際，膝関節を90°以上屈曲させておかないと大腿四頭筋などの収縮が加わり，膝関節が伸展してしまう．膝関節が約90°屈曲位で行っても膝関節伸展が出現しなくなってくると，次に膝関節80〜90°屈曲位で麻痺側下肢の振り出しと後方への戻し動作を，それぞれの運動を促通するために股関節方向への圧迫と抵抗をかけて行う．最後に，麻痺側下肢の振り出し最終域で膝関節伸展をさせて歩行時の振り出しに近い運動を繰り返す

第2節　下肢ボトムアップ・アプローチを行うための徒手的テクニック

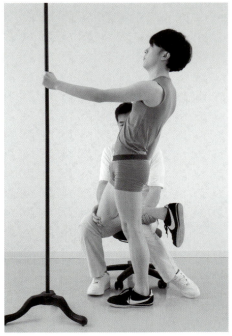
a. 振り出しの代償

b. 股関節伸展の代償

c. 股関節の伸展に対して抵抗をかける

d. 股関節の伸展に対して抵抗をかける

図11　立位での振り出し練習（体幹伸展位）
　片麻痺者の麻痺側膝関節を屈曲させてセラピストの膝の上におく．そして，「太ももを前に振り出して」と声をかけて麻痺側下肢を振り出させる．その際，セラピストは麻痺側下肢の振りだし動作に対して抵抗をかけながら他方の手で補助する

第Ⅳ章　タナベセラピーの実際②―下肢ボトムアップ・アプローチ

 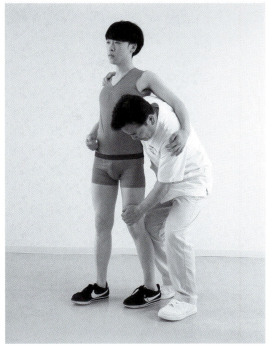

a．歩行立脚前期　　　　　　　　　　　　b．歩行立脚後期

図 12　麻痺側下肢の荷重練習

3. 麻痺側下肢の荷重練習（図12）

　セラピストは，麻痺側の下肢を前においで立たせた片麻痺者の麻痺側に位置し，片麻痺者に近いほうの手で体幹を伸展位に保持しながら，他方の手で膝上を押さえて健側の足を前後に運ぶステップ練習を行う．その際，麻痺側下肢に荷重がかかるよう誘導すると同時に，膝をしっかりと押さえて荷重を支持する感覚を与える．

4. 立位・歩行練習中に行うアライメント矯正

　立位・歩行時における頭頸部と体幹の屈曲は骨盤の後傾，そして股関節と膝関節の屈曲を誘発するため，正しいアライメントを維持しながら歩行するように誘導しなければならない．なお，背臥位で行われる歩行準備のための胸郭・脊柱のアライメント矯正は，第Ⅲ章の第 2 節「2. 脊柱に対するアプローチ（p58 を参照）」「4. 胸郭に対するアプローチ（p59 を参照）」を参照していただきたい．ここでは，歩行練習中に行われる胸郭・脊柱のアライメント矯正について解説する．

　片麻痺者にとって歩行時に背筋を伸ばして胸を張り，頭部を起こした正しい姿勢で歩くことは恐怖感がある．極端な左右非対称的な歩容がみられる片麻痺者のほとんどは，左右対称的な歩行をする能力を備えてはいるが，恐怖感のために数歩たりともそれができない．そこで，歩行姿勢を正すために胸郭・脊柱のアライメント矯正を行う．ただし，短時間のみの場合では歩行姿勢を学習することはなく，セラピストのハンドリングを加えながら最低でも 40 分間連続

113

第2節　下肢ボトムアップ・アプローチを行うための徒手的テクニック

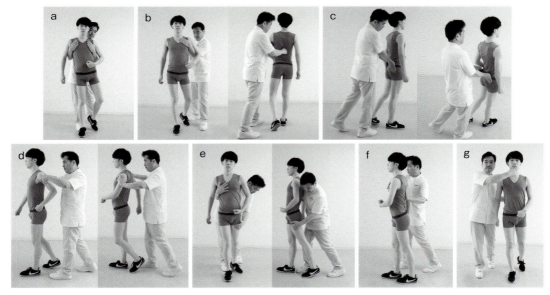

図13　歩行中に行うアライメント矯正の主なハンドリング

a：セラピストは片麻痺者の背部に立ち，腋窩から手をとおして胸部前面に手をおき，上方（頭部の方向）にすくい上げるようにして胸郭を伸展させながら歩行する．セラピストと片麻痺者の距離が近くなるため，それぞれ左右の足の歩調を合わせて歩く．片麻痺者の胸部をしっかりと保持をするが，この際，左右の下肢に荷重がタイミングよく移動するように誘導し，決して片麻痺の動きを邪魔しないようにしなければならない

b：セラピストの片手で片麻痺者の脊柱を前方に圧迫しながら，他方の手で麻痺側の胸郭を伸展させるように引き上げる．脊柱は，はじめは第4胸椎の高さを押さえ，体幹の伸展の状況をみながら適宜位置を変えていく

c：セラピストの両手の母指をズボン上端から下方へ挿入し，他の四指で仙骨を押さえると骨盤の後傾位から垂直位にすることができる．この肢位のまま，歩行時に骨盤が回旋（麻痺側の後退）しないようにしっかりと保持して歩行練習をする

d：片麻痺者の背部から両肩を保持し，セラピストの指で片麻痺者の腕振りを誘発しつつ，左右均等な姿勢の維持と体幹の伸展も誘導する

e：歩行時に股関節伸展が乏しい場合は，一方の手で体幹の伸展を保持しながら，他方の手で歩行立脚後期に大腿部を後方に引いて股関節の伸展を誘導する

f：片麻痺者の後方または側方に立ち，胸郭を前後から押さえて体幹を伸展し，歩行練習を繰り返す．側方からのアプローチは，後方に位置する時よりも片麻痺者は転倒に対する恐怖感が軽減し，また胸部を前面から保持するため安心感が増す

g：下顎を保持して行う歩容を誘導する方法であり，歩行時に行う姿勢矯正の最終的な仕上げとして行うことが多い

してアライメント矯正を行わなければ運動を学習することがない．片麻痺者は自らの歩行が今現在，どのように行われているのかわからない場合がほとんどであり，セラピストからみると歩容がかなり改善しても，本人はまったくそれがわかっていない．したがって，「胸を張って歩いて」や「お腹を突き出して歩いて」などといった意識下した歩行の修正は無意味である．正しい姿勢をセラピストが徒手的に作り出し，長時間繰り返し歩くことにより，運動の感覚を学習する以外に方法はない．

　立位または歩行時に行うアライメント矯正の主なハンドリングについて図13a〜gに示す．

第Ⅳ章 タナベセラピーの実際②―下肢ボトムアップ・アプローチ

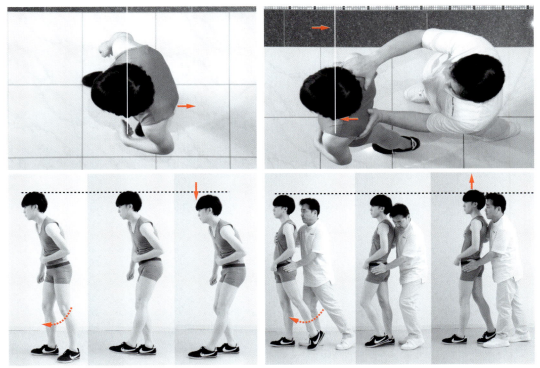

a. 体幹と骨盤の後退　　　　　　　　b. 体幹伸展と骨盤前傾を矯正

図 14　麻痺側下肢の歩行立脚期における誘導

　片麻痺者は，体幹を前傾した状態で，骨盤を後傾しながら下肢を伸展させた後，骨盤を引き上げて歩行の振り出しが行われている．そのため，歩行立脚中期には身体重心が低くなり，推進力が減弱する．その矯正方法は，体幹を伸展させながら麻痺側の骨盤を前下方に押して麻痺側下肢に荷重を誘導する．それにより，歩行立脚中期で身体重心が低くならず推進力も維持される

手のおき方や持ち方など，片麻痺者に合わせて工夫するとよい．いずれも姿勢矯正のためのハンドリングではあるが，同時に麻痺側下肢への体重移動を誘導し，歩行立脚後期において股関節が伸展するように操作する．

5. 正常歩行を誘導するポイント

　歩行練習では，正常な歩行パターンを繰り返して行い，正しい運動を学習させることが必要である．図 14a は，体幹の代償動作による歩行である．片麻痺者の歩行パターンはさまざまであるが，たとえ適切な下肢装具を用いたとしても，次のいずれかの代償動作がみられる．

a．麻痺側下肢の歩行立脚期

　麻痺側下肢の歩行立脚初期では，股関節を屈曲させる片麻痺者が多いので股関節は伸展モーメントを確保することが重要である．そこで下部体幹が屈曲しないようにセラピストはしっかりと体幹伸展位を保持して歩行誘導を行う（図 14b）．歩行立脚初期は足関節背屈モーメントも重要であるが，足関節の背屈が困難な片麻痺者でも適切な装具の装着により踵接地はできる．

115

> ### 📋 *Clinical Hint*
>
> **麻痺側下肢の歩行立脚期でのポイント**
>
> ①常に体幹伸展位かつ正中位を確保する.
> ②麻痺側にしっかりと荷重をかける.
> ③歩行立脚終期での股関節伸展を確保する.

　また，歩行立脚中期では麻痺側の膝関節を過伸展または屈曲位で荷重支持する戦略をとることが多い．膝関節過伸展の要因は，骨盤の引き上げや努力性の振り出しによる下肢の伸筋痙性の増大であることが多く，歩行遊脚期でスムーズな振り出しを学習し，これらの代償動作を改善することにより歩行立脚期での正しい荷重支持ができるようになる．また，歩行立脚期の膝関節屈曲支持の要因は，大腿四頭筋の筋出力低下というよりは股関節の伸展が不十分であることが影響していることが多い．たとえ大腿四頭筋の筋出力が弱くても歩行立脚期に股関節を十分に伸展しておくと，大腿四頭筋は伸長されて膝折れが起きない．そのため，体幹を前傾させずに胸を張って歩くように誘導する．いずれにしても歩行立脚期にみられる膝関節の過伸展や屈曲は，荷重応答期に身体重心が極端に下がるため推進力は減少してしまう．

　片麻痺者の中には，膝折れを回避するための戦略として骨盤を後方に引き体幹を前傾させて膝関節を過伸展位にし荷重を支持するケースも多い．この場合は，完全に推進力が途絶えるため歩行速度は著しく遅くなる．

ｂ．麻痺側下肢の歩行遊脚期

　足関節の背屈を伴わない痙性歩行の場合は，麻痺側下肢をまっすぐ振り出すと，つま先が地面に引っかかってしまう．そのため，歩行遊脚期には体幹を非麻痺側に傾け麻痺側下肢をぶん回して振り出すことが多い．また，股関節と膝関節を過度に屈曲した屈曲パターンの場合は，麻痺側骨盤を後方に引き，股関節を外旋させた状態で振り出すことが多い．歩行遊脚期に膝関節が伸筋痙性によって伸展したままの片麻痺者は，体幹を前傾して骨盤を引き上げてぶん回しにより振り出している．

ｃ．歩行誘導のポイント（図15）

　以下に，歩行誘導に対する5つのポイントと実際の片麻痺者に対するアプローチを述べる．

ⅰ）歩行誘導のポイント

①骨盤の位置は，後傾と回旋を修正し左右対称的な姿勢を常に維持して歩行誘導を行う．
②歩行遊脚期に骨盤を引き上げずリラックスした状態からまっすぐ前に麻痺側下肢を振り出す．
③歩行立脚期の荷重応答期に体幹と股関節を伸展して床反力に耐える支持性をつくる．
④歩行立脚期は，足部（距腿関節）を転がすように誘導し，足部を中心とした振り子運動と

第Ⅳ章　タナベセラピーの実際②―下肢ボトムアップ・アプローチ

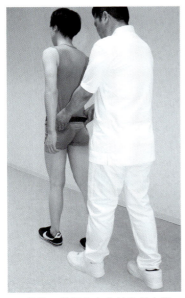
a. 骨盤の前傾と左右対称的な姿勢の維持

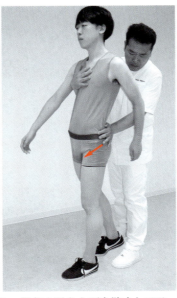
b. 骨盤の引き上げを防止してリラックスした振り出しを誘導

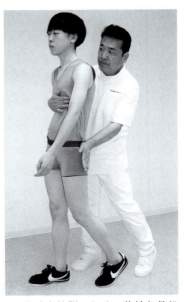
c. 荷重応答期における体幹と骨盤の伸展

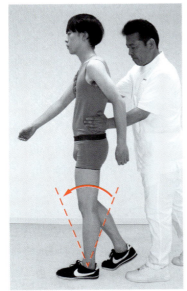
d. 立脚期におけるロッカー機能の誘導

e. 立脚終期の股関節伸展の誘導

図15　歩行誘導のポイント

なるように身体重心を移動させる．
⑤歩行立脚終期に股関節を十分に伸展させる．

ⅱ）症例①

図16は，体幹の前傾と股関節の屈曲により，麻痺側下肢を引き上げながら前方に振り出している．歩行立脚期には股関節は伸展していないため荷重応答期に膝折れ起こり，また，歩行

117

第2節　下肢ボトムアップ・アプローチを行うための徒手的テクニック

図16　歩行立脚期に膝折れがみられる症例

遊脚期には伸筋痙性により体幹の前傾と骨盤の引き上げによる代償動作がみられる症例である．このような歩行パターンに対しては，常に体幹を伸展位に保持して骨盤を引き上げずに麻痺側下肢をリラックスした状態で振り出すように誘導する．歩行立脚期の麻痺側下肢の支持性を高める方法としては，股関節を伸展させることにより膝関節の伸筋が伸長されるので膝関節伸展位でしっかりとした荷重支持ができるようになる．

iii）症例②

図17は，骨盤の引き上げとぶん回しによる振り出し，膝関節の過伸展位で荷重支持を呈している症例である．図17aの①～③は麻痺側の歩行遊脚期の様子である．骨盤を引き上げ，ぶん回しにより前方に振り出している．骨盤の引き上げ時に，下肢の伸筋痙性が高まり棒状な状態のまま振り出しを行っている．図17aの④～⑥は麻痺側の歩行立脚期の様子である．骨盤をやや後傾（股関節5～10°程度の屈曲）にして膝関節を過伸展位にすることにより，膝折れを回避して荷重を支持している．図17bは，歩行の治療場面であり，歩行立脚期の膝関節過伸展を避けるためにバックニー防止装具を装着して治療をしている．セラピストは，振り出し時の骨盤の引き上げを防ぎ，後退させようとする骨盤を前方へ固定している．

6. 具体的な歩行誘導の徒手的テクニック

a．体幹の伸展保持と麻痺側骨盤の後退を修正

まずはセラピストの片手で麻痺側の腰部を前方に押し出し，他方の手で非麻痺側の肩を後方に引き，体幹の伸展と骨盤のねじれ（麻痺側骨盤の後退）を修正する（図18）．体幹の屈曲と骨盤後傾による股関節の屈曲がみられる場合は，図19のように骨盤の前傾誘導と麻痺側骨盤

第Ⅳ章 タナベセラピーの実際②―下肢ボトムアップ・アプローチ

a. 治療前の歩容

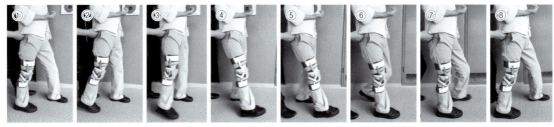

b. 膝関節過伸展防止装具を装着した歩行練習

図 17　膝関節過伸展による荷重支持と骨盤の引き上げ，ぶん回しによる振り出し

 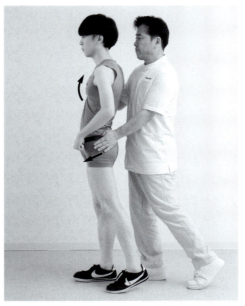

a. 体幹の屈曲と骨盤後傾による股関節屈曲がみられる場合　　b. 体幹の伸展と骨盤の後退の修正

図 18　体幹の伸展誘導と麻痺側骨盤の前方誘導

119

第2節　下肢ボトムアップ・アプローチを行うための徒手的テクニック

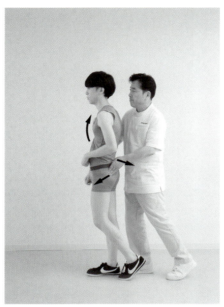
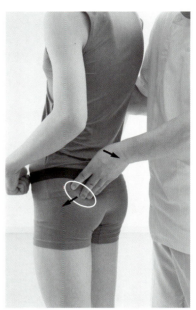

a. 体幹の屈曲と骨盤後傾による股関節屈曲がみられる場合
b. 骨盤の前傾および前方の誘導
c. 手のあて方

図 19　麻痺側骨盤の前傾誘導と麻痺側骨盤の後退を矯正
片方の手で体幹を伸展させ，他方の手は母指をズボン上端にかけて四指で仙骨部を押さえ，後傾した骨盤を前傾位に矯正している

の前方誘導を行う．この姿勢を維持するようにハンドリングを10分程度行うと，その後ハンドリングをやめても体幹の伸展は比較的に持続する．しかし，麻痺側骨盤の後退はハンドリングの手を外した途端に再現することが多く，再び麻痺側骨盤を後退させた姿勢になってしまう．骨盤を左右均等に保持した歩行を学習するには，20分程度のセラピストのハンドリングを加えた歩行練習を数セット繰り返す必要がある．体幹を伸展した歩行ができるようになると，セラピストは腰部のみをコントロールして骨盤の前傾の保持と回旋の修正（左右対称）をハンドリングにより行う．

b．麻痺側下肢における歩行立脚期の誘導

　麻痺側下肢の歩行立脚期には，踵接地時から荷重応答期に股関節が屈曲（体幹の前傾）しないように骨盤をしっかりと前傾位に保持しておく．この股関節の伸展は，膝関節を伸展させる大腿直筋を伸長させ，歩行立脚中期の膝折れを防ぎ，身体重心を高い位置に保つことができる．図20のようにロッカーファンクションを活かした歩行にするためにセラピストは，麻痺側下肢に荷重が加わるように荷重移動する．

c．伸筋痙性により膝関節伸展位の麻痺側下肢に対するスムーズな振り出しの誘導（図21）

　麻痺側下肢の伸筋痙性は，骨盤の引き上げによって誘発されることが多いため，麻痺側下肢の振り出しに合わせてセラピストの片方の手の母指球付近で大転子のやや上方を下前方に押し

図20 麻痺側下肢における歩行立脚期の誘導
体幹を伸展位に維持したまま麻痺側下肢に荷重を誘導している（a～f）

ながら，中指から小指で大転子の下方大腿部を軽く押し出して下肢の振り出しを誘導する．はじめは下肢全体を固めているため，歩行立脚後期から遊脚期に移行するタイミングに合わせてしっかりと骨盤を下方に下げることにより膝関節を屈曲させての麻痺側下肢の振り出しができる．

　歩行立脚後期では股関節の伸展を補助するが，ハンドリングの手は麻痺側下肢の振り出しの誘導と同じポジションのまま大腿部前面をタイミングに合わせて後方に押し込むと股関節は伸展される．このパターンを20分程度繰り返すと正常なパターンが学習され，ハンドリングを

121

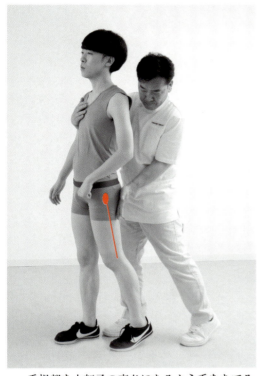 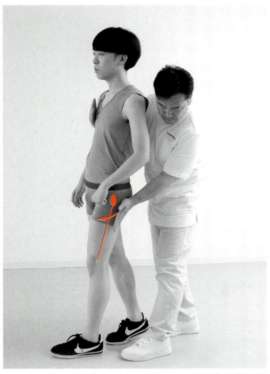

a．手根部を大転子の高さになるよう手をあてる　b．手根部で骨盤を前下方に押しながら手指で大腿部を前方に押し込み振り出しを誘導する

図21　麻痺側下肢の振り出しを誘導

しない時も一次的には再現できるようになる．常にこの振り出しができるようになるためには，1週間に5日間，1日40分程度のハンドリングを繰り返す必要がある．

d．体幹のコントロールによる麻痺側下肢の振り出し誘導

図21では，骨盤や大腿に直接ハンドリングを加えて正常な振り出しを他動的に導いたが，しだいにハンドリングを加えなくても正しい動作ができるようになってくる．そうなると次に図22のように上部体幹のみのコントロールにより正常な振り出しを誘導することができる．そこで，図22bのように麻痺側下肢の振り出しに合わせて麻痺側体幹を前方へ押し出すと，体幹の動きに連鎖して振り出しやすくなる．

e．歩行時の手の振り出し誘導

歩容が安定してくると，図23のように片麻痺者の両肩を保持して体幹を伸展位に保ちながらセラピストの広げた指をねじるように動かして腕の振りを引き出していく．

第Ⅳ章　タナベセラピーの実際②―下肢ボトムアップ・アプローチ

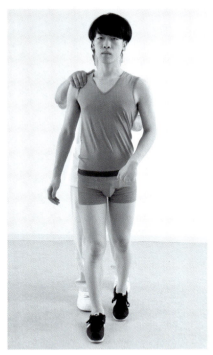
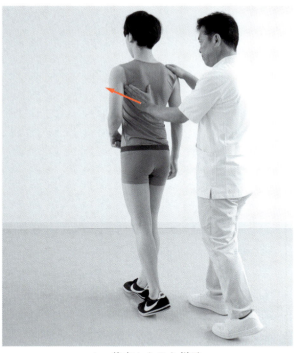

a. 前方からみた様子　　　　　　　　　b. 後方からみた様子

図 22　上部体幹コントロールによる体幹の伸展と麻痺側腰部の前方移動

歩行立脚終期から遊脚初期にかけて麻痺側の肩甲帯を前方に押し出すと運動連鎖によって麻痺側下肢の振り出しを誘導することができる

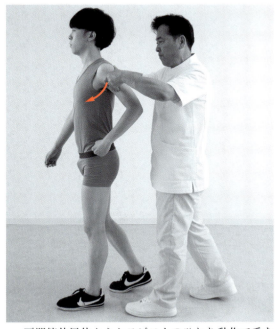

a. 肩関節伸展位からセラピストのひねり動作で手を振り出す　　　b. 肩関節屈曲位からセラピストのひねり動作で手を振り出す

図 23　歩行時の手の振り出しの誘導

123

第2節　下肢ボトムアップ・アプローチを行うための徒手的テクニック

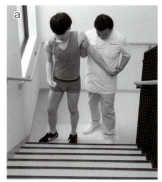
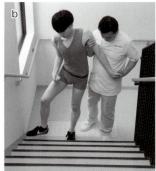
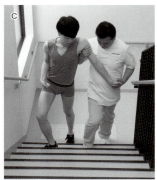

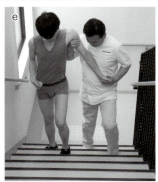
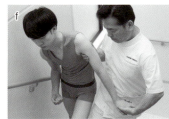
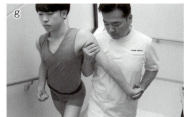

図24　階段を利用した治療

a：健側上肢を保持して支え，健側下肢に荷重を移動して振り出し動作を待つ
b：次の段に足部が届くまで待つ．どうしても届かない場合は体幹をわずかに傾けて届くように誘導するか徒手により誘導する．
c，d：麻痺側下肢が次の段におかれると，体重を麻痺側に荷重させて重力に抗して下肢を伸展させる．この時，片麻痺者の動きを阻害しないようにセラピストは片麻痺者の動きに同期して上がっていく
e：aと同様に振り出しを誘導する．
f，g：途中で体幹が前傾してきた場合は，gのように肩関節を外旋させて上肢のハンドリングを通じて体幹を伸展するように修正する
h：セラピストの肘部を片麻痺者の体側背部において体幹を固定したり伸展を誘導したりする

7．下肢の筋出力を促通する方法

a．階段を利用した練習（図24）

歩行時には，歩行遊脚期に膝関節の屈曲を伴った振り出しに必要な腸腰筋の筋力を鍛えることと，歩行立脚期にロッキングせず膝関節がわずかに屈曲した状態で荷重を支持できる大腿四頭筋を鍛えることが必要であり，同時にできるのが階段練習である．セラピストは体幹をしっ

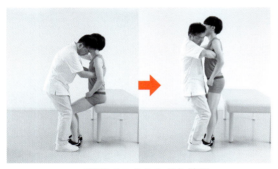
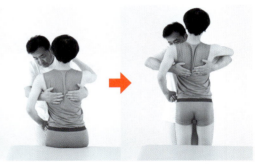

a. 両脚での立ち上がり練習　　　　　　b. 両足での立ち上がり練習（後面）

c. 麻痺側下肢のみでの片脚立ち上がり練習　　d. 麻痺側下肢のみでの片脚立ち上がり練習（後面）

図 25　立ち上がり練習

a，b：両脚での立ち上がり練習である．麻痺側の膝関節を固定して両側の腋窩から手を入れ，肩甲骨の下部に手をあてる．片麻痺者の体重が麻痺側の膝に引き寄せられるように体幹を手前に引き込む．立ち上がりではセラピストの両膝に荷重がかかるように引き寄せ，非麻痺側に荷重が逃げないようにセラピストの前腕部で体幹を麻痺側へと誘導する．立ち上がりの終末では体幹の伸展を誘導するために，セラピストはセラピストの手を支点にして両側腋窩を押すことにより体幹を伸展させることができる

c，d：麻痺側下肢のみでの片脚立ち上がり練習である．麻痺側の膝関節を固定して片方の手で非麻痺側下肢を持ち上げ，他方の手は片麻痺者の背部におき体幹をコントロールする．非麻痺側下肢を持ち上げる動作に合わせて麻痺側下肢のみにより立ち上がりを行う．麻痺側下肢の抗重力伸展力が弱い場合は，非麻痺側下肢の引き上げを強めればよく，片麻痺者の能力に応じて荷重を調整する

かりと支えながら一足一段の交互の下肢の振り出しによる動作で行う．恐怖感が強い場合や転倒の恐れがある場合，体格が大きい片麻痺者に行う場合などでは，片麻痺者の健手で手すりにつかまってもらい行ってもよい．この練習は，上りのみで行われるためエレベータがある建物で行う．筆者は階段練習を5日間かけて行い，はじめは1階から3階までなどを1日3セットから開始して，しだいに階数を増し，5日目には1階から5階を3セット行っている．平地での練習やステップ練習では，さほど効果が現われないが，この階段練習を行うと明らかなパフォーマンスの違いがわかるほど，振り出すための筋出力や支持性が得られる．

b．立ち上がり練習（図 25）

麻痺側下肢の支持性が低く歩行立脚期に膝関節の屈曲がみられる場合は，高い座面から完全伸展位までの立ち上がり練習を行う．これは自主練習で行わず，必ずセラピストが直接介入し

第2節　下肢ボトムアップ・アプローチを行うための徒手的テクニック

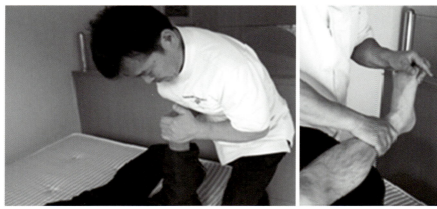

a. 足関節背屈可動域の拡大　　　　b. 背屈の促通

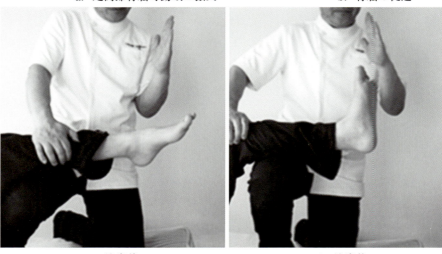

c. 治療前　　　　　　　　　　　d. 治療後

図26　実際の片麻痺者に対する足関節背屈（自動運動）

Clinical Hint

代償動作の歩行では，なぜダメなのか？

　正常歩行パターンでの歩行練習を繰り返さなければ，麻痺側下肢の分離運動の獲得やバランス能力の改善，歩行速度，歩行耐久性の向上はない．つまり，代償動作の歩行では日常生活に耐えうる歩行機能が獲得しているとはいえないからである．また，本アプローチを行う場合は，麻痺側肢で生活動作を獲得するといった気持ちでないと効果がでないからである．

て行わなければ効果はない．終始，麻痺側下肢に荷重が加わるように誘導し，立位をとった時点で膝関節がロックしないようにセラピストは，しっかりと膝関節を保持してコントロールする．正しい荷重支持をハンドリングにより繰り返し運動学習させる．

c．足関節の背屈促通法（図26）

片麻痺者の下肢全体をセラピストの膝上におき足関節を固定する．片方の手でゆっくりと足指を屈曲して前脛骨筋，足指伸筋群を伸長する．「あげて」の掛け声とともに足指全体を素早く屈曲し，足関節の背屈と足指の伸展を誘導する．筋の出力を感じたら，わずかな抵抗を適宜加える．図26は実際の片麻痺者に対する促通場面である．20回程度促通すると明らかな足関節の背屈が出現した．

📋 *Clinical Hint*
歩行時に足趾が著明に屈曲する片麻痺者への対応

方法として，粘着包帯で背側足根部中央を起点に，母趾から環趾までの足趾のつけ根に粘着包帯を回して背側方向に引き上げて（①，②），最後に足関節および足根部を粘着包帯で回して固定する（③）．

 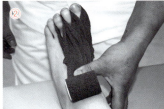 

文 献

1) Olney SJ, et al：Temporal, kinematic, and kinetic variables related to gait speed in subjects with hemiplegia：a regression approach. *Phys Ther* **74**：872-885, 1994
2) 山本 摂：片麻痺歩行．山本澄子，他（編）：理学療法MOOK6 運動分析．三輪書店，2000，pp94-100
3) 山本澄子：脳血管障害の歩行分析．理学療法科学　**17**：3-10，2002
4) Perry J, e al：Gait Analysis―Normal and Pathological Function 2nd ed. SLACK, New Jersey 2010

付録

タナベ・スパイダースプリントの紹介

　脳卒中後に強い屈筋痙性に支配された手は，たとえ指を伸展させる筋出力があったとしても手を開くことができない．ここで述べたセラピーの実践により数年間，随意的に開くことができなかった手が開くようになった片麻痺者は多い．筆者は2013年に形状記憶合金の超弾性（元の形にもどる力が働く）により指の伸展を補助することができるタナベ・スパイダースプリント（Tanabe spider sprint）を開発した（図1）．屈筋痙性の強さにより形状記憶合金ワイヤーの直径を変えることで，各麻痺のタイプに応じたつかみ離し動作を可能にする．

　本スプリントは，300名ほどの片麻痺者にモニター使用してもらい，以下のような効果が確認できている．なお，本製品は厚生労働省と東京都，兵庫県の指導により脳卒中痙性麻痺手の便利用品としての扱いとなる（詳細はhttp://www.eonet.ne.jp/~tanabespider/info/info.html）．

【タナベ・スパイダースプリントの効果】
①手指の伸展不能な麻痺手に装着すると，ボールのつかみ離しが装着下においてできるようになり，一部の片麻痺者はしだいに随意的な手指の伸展が出現するようになった．
②1時間程度，装着していると屈筋痙性が減弱した．
③鷲づかみはできるが，対立したつかみ・つまみ動作ができない麻痺手に装着すると，対立したつかみ・つまみ動作ができるようになった．
④物品の把握動作を2～3回繰り返すと屈筋痙性により手が開かなくなっていた片麻痺者が，超弾性力が弱い（0.7 mmのワイヤー）本スプリントを装着して物品のつかみと移動課題を繰り返すと，本スプリントを外したあとも繰り返し手を開くことができるようになった．

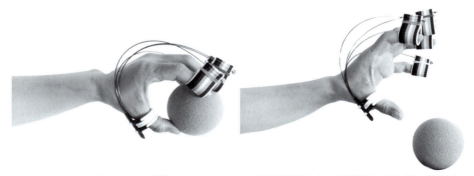

a．自らの力で把持　　　　b．形状記憶合金の超弾性により指の伸展ができる

図1　タナベ・スパイダースプリント

著者略歴

田邉 浩文（たなべ ひろふみ）

1985 年	防衛省入職
1990 年	自衛隊中央病院
1994 年	社会医学技術学院作業療法学科卒業
2008 年	神戸大学大学院博士前期課程（運動機能障害解析学専攻）修了
2011 年	米国アラバマ大学 CI therapy training course 履修
2012 年	神戸大学大学院博士後期課程（保健学研究科）修了
2013 年	米国アラバマ大学 Pediatric CI therapy training course 履修
2015 年	湘南医療大学保健医療学部リハビリテーション学科　教授
2015 年	米国アラバマ大学 CI therapy Lower Extremity training course 履修
	現在に至る

効果がみえる中枢神経疾患の再構築アプローチ―タナベセラピー

発　　行	2016 年 9 月 10 日　第 1 版第 1 刷Ⓒ
著　　者	田邉浩文
発 行 者	濱田亮宏
発 行 先	株式会社ヒューマン・プレス
	〒113-0033　東京都文京区本郷 3-32-6
	電話 03-5615-8451　FAX 03-5615-8452
	E-mail: info@human-press.jp
発 売 先	株式会社シービーアール
	〒113-0033　東京都文京区本郷 3-32-6
	電話 03-5840-7561　FAX 03-3816-5630
装　　丁	柳川貴代
印 刷 所	三報社印刷株式会社

本書の無断複写・複製・転載は，著作権・出版権の侵害となることがありますのでご注意ください．

ISBN 978-4-908933-02-8　C 3047

JCOPY　＜(社)出版者著作権管理機構　委託出版物＞

本書の無断複製は著作権法上での例外を除き禁じられています．複製される場合は，そのつど事前に，(社)出版者著作権管理機構（電話 03-3513-6969．FAX 03-3513-6979．e-mail: info@jcopy.or.jp）の許諾を得てください．